AMRYWIAITH

Llyfrau Llafar Gwlad

AmrywIAITH

Blas ar dafodieithoedd Cymru

Dr Guto Rhys

Argraffiad cyntaf: 2020

Rhif rhyngwladol: 978-1-84527-731-4

Mae'r cyhoeddwr yn cydnabod cefnogaeth ariannol
Cyngor Llyfrau Cymru

Cynllun clawr:Eleri Owen

Cyhoeddwyd gan Wasg Carreg Gwalch,
12 Iard yr Orsaf, Llanrwst, Conwy, LL26 0EH.
Ffôn: 01492 642031 Ffacs: 01492 641502
e-bost: llyfrau@carreg-gwalch.cymru
lle ar y we: www.carreg-gwalch.cymru

Argraffwyd a chyhoeddwyd yng Nghymru.

Cynnwys

Cyfres Llyfrau Llafar Gwlad – rhai teitlau

58. CACWN YN Y FFA
    Ysgrifau Wil Jones y Naturiaethwr; £5
59. TYDDYNNOD Y CHWARELWYR
    Dewi Tomos; £4.95
60. CHWYN JOE PYE A PHINCAS ROBIN – ysgrifau natur
    Bethan Wyn Jones; £5.50
61. LLYFR LLOFFION YR YSGWRN, Cartref Hedd Wyn
    Gol. Myrddin ap Dafydd; £5.50
62. FFRWYDRIAD Y POWDWR OIL
    T. Meirion Hughes; £5.50
63. WEDI'R LLANW, Ysgrifau ar Ben Llŷn
    Gwilym Jones; £5.50
64. CREIRIAU'R CARTREF
    Mary Wiliam; £5.50
65. POBOL A PHETHE DIMBECH
    R. M. (Bobi) Owen; £5.50
66. RHAGOR O ENWAU ADAR
    Dewi E. Lewis; £4.95
67. CHWARELI DYFFRYN NANTLLE
    Dewi Tomos; £7.50
68. BUGAIL OLAF Y CWM
    Huw Jones/Lyn Ebenezer; £5.75
69. O FÔN I FAN DIEMEN'S LAND
    J. Richard Williams; £6.75
70. CASGLU STRAEON GWERIN YN ERYRI
    John Owen Huws; £5.50
71. BUCHEDD GARMON SANT
    Howard Huws; £5.50
72. LLYFR LLOFFION CAE'R GORS
    Dewi Tomos; £6.50
73. MELINAU MÔN
    J. Richard Williams; £6.50
74. CREIRIAU'R CARTREF 2
    Mary Wiliam; £6.50

75. LLÊN GWERIN T. LLEW JONES
Gol. Myrddin ap Dafydd; £8.50
76. DYN Y MÊL
Wil Griffiths; £6.50
78. CELFI BRYNMAWR
Mary, Eurwyn a Dafydd Wiliam; £6.50
79. MYNYDD PARYS
J. Richard Williams; £6.50
80. LLÊN GWERIN Y MÔR
Dafydd Guto Ifan; £6.50
81. DYDDIAU CŴN
Idris Morgan; £6.50
82. AMBELL AIR
Tegwyn Jones; £6.50
83. SENGHENNYDD
Gol. Myrddin ap Dafydd; £7.50
84. ER LLES LLAWER – Meddygon Esgyrn Môn
J. Richard Williams; £7.50
85. CAEAU A MWY
Casgliad Merched y Wawr; £4.99
86. Y GWAITH A'I BOBL
Robin Band; £7.50
87. LLÊN GWERIN MEIRION
William Davies (gol. Gwyn Thomas); £6.50
88. PLU YN FY NGHAP
Picton Jones; £6.50
89. PEN-BLWYDD MWNCI, GOGYROGO A CHAR GWYLLT – Geiriau a Dywediadau Diddorol
Steffan ab Owain; £6.50
90. Y DYRNWR MAWR
Twm Elias ac Emlyn Richards; £7.50
91. CROESI I FÔN – Fferïau a Phontydd Menai
J. Richard Williams; £8.50
92. HANES Y BACO CYMREIG
Eryl Wyn Rowlands; £8
93. ELIS Y COWPER
A. Cynfael Lake; £8

Cyflwyniad

Iaith yw un o'm prif ddiddordebau. Fe'm magwyd yn bennaf yn Llanfair Pwllgwyngyll ond gyda rhieni o'r Wyddgrug a Chaerwys a hwythau yn eu tro â rhieni o Lansilin, Caerwys, y Rhyl a Blaenau Ffestiniog. Bûm am bron i flwyddyn, yn fy ieuenctid pell, yn byw yn Lloegr pan weithiai fy nhad yno. Efallai mai'r amrywio ieithyddol hyn a sbardunodd fy niddordeb mewn iaith ac ieithoedd, ond tyfodd a blodeuodd dros y blynyddoedd. Astudiais ambell i iaith Geltaidd ym Mhrifysgol Bangor a daliais ati i ymhél ag ieithoedd dros y degawdau dilynol gan fynychu cyrsiau, dygnu trwy Linguaphone (ac eraill) yn y car, a dysgu ieithoedd y gwledydd y bûm yn byw ynddynt (Llydaw, Sbaen a Gwlad Belg). O ddyddiau Llangrannog, *Miri Mawr* ac ati cawsom yn Llanfair gyfle i glywed lleisiau amryfal Cymry o bobman. O'r De y deuai rhai o athrawon Ysgol David Hughes, a hefyd yr oedd rhieni sawl un o'm cyfeillion o bentrefi a threfi rhwng Aberteifi a Chwm Tawe. Does gen i ddim cof imi erioed ystyried yr amrywio tafodieithol hwn yn arbennig o anghyffredin, dim ond braidd yn ddieithr neu od ar brydiau. Yn Llangrannog yn ddeng mlwydd bu plant Llanfairpwll â phlant gweddill Cymru yn cydchwarae ac yn cydganu yn gymysgfa o leisiau o bobman. Wedyn gyda miri a bwrlwm y byd roc Cymraeg yn yr wythdegau, gan gychwyn yn Eisteddfod Genedlaethol Machynlleth daeth cyfle i gymdeithasu gyda phobol ifainc o bob cwr o'r wlad. Parhaodd hyn gyda blwyddyn ym Mhrifysgol Abertawe, ynghanol myfyrwyr o'r cymoedd Cymraeg, ac ychydig o flynyddoedd yn Neuadd JMJ (John Morris Jones) – neuadd Gymraeg Prifysgol Bangor. Ar y llaw arall, mae'n bosib mai chwilfrydedd dihysbydd sy'n cyfri am y rhyfeddu diddiwedd. O ganlyniad i hyn oll penderfynais agor grŵp Facebook i rannu gwybodaeth am iaith. Bwriadol oedd y penderfyniad i'w labelu'n 'Iaith' yn hytrach na 'Cymraeg' gan mai un o'r amcanion oedd annog trafod pob iaith dan haul yn y Gymraeg, a phob agwedd ar iaith ac ieithyddiaeth yn ogystal.

Yn y flwyddyn 2015 penderfynais y byddwn o'r diwedd yn bwrw'r maen i'r wal o ddifrif a dechrau holi cwestiynau penodol am amrywio iaith yng Nghymru, gan bostio llun a chwestiwn neu ddau yn ddyddiol. Holi am eiriau y gwyddwn eisoes eu bod yn amrywio'n ddaearyddol a wnawn ar y cychwyn, ond wedyn datblygodd yn arfer fwy ffurfiol lle byddwn yn dethol geiriau neu ymadroddion neu nodweddion gramadegol o ryw astudiaeth gyhoeddedig. Yr oedd eisoes hanner hyd silff o lyfrau perthnasol gennyf yn cynnwys llyfrau fel *The Linguistic Geography of Wales*, *The Welsh Vocabulary of the Bangor District* ac *A Glossary of the Demetian Dialect*. Y cyntaf o'r rhain efallai a ganiataodd i'm diddordeb ffynnu gan y byddwn yn holi fy neiniau a'm teidiau am y geiriau a nodwyd. Byddaf hefyd yn annog i bobol eraill gyfrannu a holi cwestiynau, a braf gweld cymaint o bobol yn cynnig geiriau ac ymadroddion lleol ac ati. Erbyn hyn mae corpws o gannoedd o filoedd o sylwadau am amrywio yn yr iaith Gymraeg, ond go brin bod Facebook yn fan dibynadwy ac addas i ddiogelu'r holl gyfoeth hwn. Felly dyma benderfynu cyhoeddi crynodeb o'r trafodaethau hyn, gan gydnabod y ddyled enfawr i'r miloedd o siaradwyr Cymraeg a fu'n cyfrannu dros y blynyddoedd. Dechreuais wrth fy nhraed, gyda'r sgyrsiau cyntaf. Os llwydda'r llyfr hwn gellid symud ymlaen i grynhoi rhagor o drafodaethau.

O'r cychwyn cyntaf rhaid cydnabod a phwysleisio nad astudiaeth ysgolheigaidd yw hon. Nid oes modd gwirio'r hyn a ddywed y cyfranwyr ac nid mater o wrando'n astud ar yr hen do wrth aelwyd wresog neu stilio gwraig ffarm mewn beudy neu gyn-löwr yn ei gegin yw. Rhaid felly dderbyn mai anecdotaidd yw hyn oll. Ond wedi dweud hynny mae casglwyr tafodiaith proffesiynol erbyn hyn yn ddigon hirben i wybod nad oedd pob astudiaeth dafodieithol gynnar yn rhydd o fanipiwleiddio ymchwilydd neu ddewisiadau dethol y bobol a holwyd. Serch hyn, mae yma gyfoeth anferthol a rhaid ei gofnodi rywsut. Gall y brwdfrydig, wrth gwrs, fynd i'r dudalen Facebook a chwilio yn y blwch priodol os ydynt am ragor o wybodaeth. Mantais Facebook yw bod modd i bobol o bob pen i'r wlad gyfrannu. A dweud y gwir mae llawer iawn o Gymry alltud yn cyfrannu'n rheolaidd.

Erbyn hyn mae newidiadau cymdeithasol, twf cyfryngau, ysgolion Cymraeg ac ati wedi glastwreiddio tafodieithoedd lleol i raddau helaeth. Nid peth cwbl newydd yw hyn gan fod newidiadau o'r fath yn nodwedd safonol o ieithoedd byw. Nid rhywbeth newydd yw safoni iaith chwaith. Yn yr oesoedd canol hefyd yr oedd Cymraeg ysgrifenedig gweddol safonol a dyma un o'r anawsterau mawr gyda lleoli pa le, a pha bryd, yr ysgrifennwyd y llawysgrifau ac y cyfansoddwyd y chwedlau. Yr oedd rhyw norm gyda Hen Gymraeg yn ogystal ac weithiau'n mae'n amhosibl gwybod ai yn y Llydaweg, y Gymraeg neu'r Gernyweg y nodwyd ambell i glòs ar femrwn hen. Bu'r Beibl hefyd yn fodd i safoni'r Gymraeg, fel ag yr oedd gyda'r Almaeneg ac ieithoedd eraill. Gyda thwf y wasg yn y bedwaredd ganrif ar bymtheg cafwyd eto don o safoni llenyddol. Erbyn heddiw bu'r rhan fwyaf ohonom yn byw mewn pentref neu ddinas lle na chawsom ein magu ac mae rhieni llawer ohonom o gymunedau gwahanol. Buom yn cydyfed mewn eisteddfodau, yn cydganu mewn corau, yn cydgaru mewn tai teras yn Nhreganna, yn cydweithio mewn swyddfa yn Aberystwyth ac yn cyd-fyw mewn strydoedd yn Wrecsam. Byddwn yn gwrando ar Radio Cymru neu'n gwylio S4C neu'n cydganu geiriau Meic Stevens, Lleuwen Steffan neu Twm Morys a hyn oll yn golygu bod ein clustiau a'n meddyliau wedi hen arfer ag amrywiaeth eang.

Un peth y mae'n rhaid ei bwysleisio eto yw bod ieithoedd o hyd yn newid. Er gwaethaf gweledigaeth haearnaidd cyrff fel yr *Académie Française*, rhywbeth organig yw pob iaith fyw. Gallwn ryfeddu wrth gyfoeth iaith Gwenallt neu Kate Roberts ond i William Morgan buasai eu hiaith hwy yn fratiaith garbwl oedd wedi mabwysiadu peth wmbreth o eiriau Saesneg diangen ac wedi colli ei chyfoeth berfol. Yn ei dro ystyriasai Dafydd ap Gwilym Gymraeg y Beibl yn annerbyniol arloesol a dieithr, a Duw a ŵyr beth a feddyliasai Maelgwn Gwynedd am ieithwedd lwgr *Canu Llywarch Hen*. Y drwg (neu'r sefyllfa), efallai, yw bod llawer ohonom yn datblygu ymrwymiad emosiynol at iaith ein plentyndod neu iaith ein neiniau a'n teidiau, ac anodd gennym oddef gweld gwyro yn rhy bell oddi wrth y norm hwn er nad yw'r rhan fwyaf ohonom yn sylweddoli bod y purdeb tybiedig hwn ynddo'i hun yn adlewyrchu cenedlaethau di-ri o newid. Dydi mistêcs ddim rîli yn rong, jyst fel'na ma iaith yn newid yn hollol naturiol. Efallai y byddai puryddion yn codi eu haeliau mewn dychryn yma ac yn nodi, dan syllu lawr eu trwynau a thros eu sbectols tin potal, bod gwahaniaeth rhwng iaith mewn cymdeithas uniaith ac iaith mewn cymdeithas ddwyieithog sy'n prysur fabwysiadu ffurfiau a geiriau'r Saesneg ac yn wfftio llawer o Gymraeg eu cynfamau. Ok, digon teg, ac mae gin i ryw gydymdeimlad sylweddol efo hyn achos ella bod gyd o hyn rhai weithiau yn rhy gormod. Ond wedyn rhaid inni gofio bod dwyieithrwydd a shifft iaith yn-ôl-ac-ymlaen wedi bod gyda ni sawl tro o'r blaen. Tua'r bumed ganrif gyda chwymp grym canolog Rhufain ym Mhrydain bu raid i'r boblogaeth Rufeinig, fesul dipyn, ddod i siarad y Frythoneg leol. Ond diawcs, mi'r oedden nhw'n methu hefo'r hen Frythoneg gymhleth yma ac yn ei siarad ag acen andros o Ladinaidd. Wel, a bod yn onest, nid Lladin clasurol Cicero a Chesar a siaradent yng Nghaergeri (Cirencester) na Chaerefrog (York) ond rhywbeth oedd yn weddol debyg i'r Gatalaneg, neu'r Sbaeneg, sef Lladin Llafar Hwyr. Er hyn, mae'n amlwg eu bod yn niferus ac yn bobol o bwys a bu i'w tafodiaith ddatblygu yn Frythoneg, mamiaith y Gymraeg, y Llydaweg, y Gernyweg a'r Gwmbreg. Mae'n debyg y byddai'r brenin Caradog (Caratācos) neu'r Frenhines Buddig (Buddug/Boudīcā) wedi'u brawychu o glywed iaith eu disgynyddion. Felly erbyn cyfnod tybiedig Aneirin a Thaliesin gellid honni (yn gellweirus) mai bratiaith Geltaidd oedd y Frythoneg. Mae lle felly i dderbyn bod newid yn *change*, er mor anodd yw i lawer ohonom weled hynny. Y pwynt felly yw mai un o amcanion y grŵp ydi cydnabod yn hytrach na deddfu.

Gobeithiaf y bydd yr holl drafod yn fodd i atgoffa pobol o ffurfiau a glywsant yn eu hieuenctid a'u hannog i barhau i'w defnyddio. Cynnal a hyrwyddo cyfoeth y Gymraeg yw un o'r amcanion pennaf trwy alluogi i bobol fabwysiadu neu fireinio eu tafodieithoedd lleol. Dylai hyn hefyd rwyddhau ein gallu ni oll i ddeall ac i werthfawrogi'r amrywiaeth ddaearyddol. Amcan arall yw galluogi i ddysgwyr brwd feithrin eu meistrolaeth o dafodiaith eu hardal. Gobeithiaf y bydd rhywbeth o ddiddordeb i bawb yn y trafodaethau isod. Ychwanegais sylwadau am darddiad geiriau er mwyn difyrru a dangos sut mae geiriau yn newid eu ffurfiau a'u hystyr dros y canrifoedd, yn y gobaith y bydd hyn hefyd yn ein cynorthwyo i gwesitynu rhai o'n rhagdybiaethau am ieithoedd. Mae'n rhaid imi gydnabod imi gael modd i fyw yn darllen eich sylwadau a'ch cyfraniadau beunyddiol difyr, gwybodus, hwyliog a chwrtais. Diolch o galon i bawb a gyfrannodd ac i bawb a fu mor garedig â phaldaruo, cabalatsio, mwydro, sgwrsio a dal pen rheswm gyda mi dros y blynyddoedd.

Llyfryddiaeth

Nodaf yma y prif lyfrau a gweithiau a ddefnyddiwyd. Maent yma rhag ofn y carai rhai ohonoch ymchwilio ymhellach a sicrhau bod rhyw goel ar yr hyn a honnaf. Os nad oes arnoch awydd turio'n ddyfnach gobeithiaf y gallwch anwybyddu'r byrfoddau achlysurol sy'n digwydd yng nghorff y gwaith.

AHD – WATKINS, C. 2000. *The American Heritage Dictionary of Indo-European Roots*, Boston, New York, Houghton Mifflin Company.

AMR – Archif Melville Richards.
http://www.e-gymraeg.co.uk/enwaulleoedd/amr/cronfa.aspx

BILLE – JONES, B. L. 1987. *Blas ar Iaith Llŷn ac Eifionydd*, Llanrwst, Gwasg Carreg Gwalch.

BLITON – *Brittonic Language in the Old North* (Alan James, 2017) https://spns.org.uk/resources/bliton

CODEE – HOAD, T. F. 1993. *The Concise Oxford Dictionary of English Etymology, Oxford*, Oxford University Press.

DCCPN – FALILEYEV, A. 2010. *Dictionary of Continental Celtic Place-Names*, Aberystwyth, Cambrian Medieval Celtic Studies.

DLG – DELAMARRE, X. 2003. *Dictionnaire de la langue gauloise*, Paris, Editions Errance.

EDPC – MATASOVIĆ, R. 2009. *Etymological Dictionary of Proto-Celtic*, Leiden & Boston, Brill.

EGOW – FALILEYEV, A. 2000. *An Etymological Glossary of Old Welsh*, Bonn, Niemeyer.

GDD – MORRIS, M. 1910. *A Glossary of the Demetian Dialect of North Pembrokeshire (With Special Reference to the Gwaun Valley)*, Tonypandy, Evans & Short.

GPC – *Geiriadur Prifysgol Cymru*
http://welsh-dictionary.ac.uk/gpc/gpc.html

GEM – GRIFFITHS, B. (gol.) 1981. *Gwerin-eiriau Maldwyn*, Dinbych: Gwasg Gee.

GyG – Thomas, P. W. 1996. *Gramadeg y Gymraeg*, Caerdydd, Gwasg Prifysgol Cymru

IEW – POKORNY, J. 1959. *Indogermanisches etymologisches Wörterbuch*, Bern. https://indo-european.info/pokorny-etymological-dictionary/index.htm

ISF – JONES, B. L. 1983. *Iaith Sir Fôn*, Dinbych, Llygad yr Haul.
LEIA – VENDRYES, J., BACHELLERY, E. & LAMBERT., P.-Y. 1959-. *Lexique étymologique de l'irlandais ancien*, Dublin, Dublin Institute for Advanced Studies.
LGW – THOMAS, A. R. 1973. *Linguistic Geography of Wales: Contribution to Welsh Dialectology*, Cardiff, University of Wales Press.
NDEH – DUBOIS, J., MITTERAND, H. & DAUZAT, A. 1971. *Nouveau Dictionnaire Étymologique et Historique*, Paris, Larousse.
NPC – DELAMARRE, X. 2007. *Noms de Personnes Celtiques dan L'Épigraphie Classique*, Paris, Editions Errance.
OED – *Online Etymological Dictionary* https://www.etymonline.com/word/kiss#etymonline_v_44022
WVBD – FYNES-CLINTON, O. H. 1913. *The Welsh Vocabulary of the Bangor District*, Oxford, Oxford University Press. https://archive.org/details/welshvocabularyo00fyneuoft/page/n1

Byrfoddau

ll. – lluosog
OC – Oed Crist
PIE – Proto-Indo-Ewropëeg (yr iaith y deillia'r Gymraeg, y Saesneg, y Gwrdeg, Lladin, Hindi, Groeg ac ati, ohoni)

Termau

acennog – lle y disgyn y pwyslais, e.e. ***cynnig*** ond *cyni**giais***. Fel arfer mae'n disgyn ar y goben yn Gymraeg.
affeithiad – lle ymdebyga un llafariad i un arall yn yr un gair e.e. *llanc* ond *llencyn*.
ansoddair – gair disgrifio e.e. *mawr, anystywallt, pinc, dafyddapgwilymaidd*.

atalsain – sain sy'n cael ei wneud gydag ychydig o ffrwydrad, e.e. *b, d, g, p, t, c.*

bannod – y gair 'y' e.e. *y sosban, y ffrwchnedd.* Dim ond bannod bendant sydd yn y Gymraeg. Yn Saesneg ceir bannod bendant a bannod amhendant: *the obelisk, an obelisk.*

benywaidd – yn y Gymraeg ceir geiriau *benywaidd* a geiriau *gwrywaidd.* Mae ffurfiau benywaidd yn treiglo ar ôl *y* (y **f**erch, y **g**enedl), yn peri treiglad i ansoddair sy'n dilyn (cath **f**awr, gwlad **g**yfoethog) a defnyddir *dwy, tair* a *pedair* gyda nhw (dwy fam, tair cerdd, pedair afon).

berfenw – gair 'gweithredu' e.e. *cysgu, drwgdybio, sgrechian.*

cenedl – *benywaidd* a *gwrywaidd* mewn gramadeg. Dwy genedl sydd yn Gymraeg e.e. *y **dd**ynes* ond *y **d**yn*; ***dwy** lori* ond ***dau** gar.*

cyfansoddair – gair wedi'i wneud o fwy nag un gair e.e. *cyfansoddair* (cyfansawdd+gair), *hirben* (hir+pen).

cynffurf – hen ffurf ar air. Ffurf ddamcaniaethol yw wedi'i seilio ar gymharu ag ieithoedd eraill, tystiolaeth fewnol iaith, hen arysgrifau, ffurfiau a fenthyciwyd o ieithoedd eraill ac ati e.e. **damatā* am *dafad.* Nodir y rhain ag asterisg *.

cysefin – y ffurf gyntaf, wreiddiol e.e. *du* (yn hytrach na *duaf*).

cytras – o'r un tarddiad neu dras e.e. *cath* yn Gymraeg a *kazh* yn Llydaweg, neu *finistra* (Eidaleg) a *fenêtre* (Ffrangeg); ill dau o'r Lladin *fenestra.*

dadfathiad – pan fo un o ddwy sain debyg mewn gair yn ymwahanu oddi wrth ei gilydd e.e. *camfa* > *cam**dd**a*. Seiniau gwefusol yw *m* ac *f.* Trodd yr olaf yn *dd* er mwyn swnio'n fwy gwahanol i'r *m.*

deuol – mewn nifer o ieithoedd ceir *unigol, lluosog* a hefyd *deuol.* Mae hwn fel arfer yn cyfeirio at bethau sy'n digwydd mewn parau fel llygaid neu goesau. Gwrywaidd yw 'dau', wrth reswm, ond mae hefyd yn ddeuol ac mae'r rhif deuol yn treiglo yn y Gymraeg, ac yn peri treiglo, *y **dd**au **dd**yn.*

deusain – sain mewn un sillaf sy'n cynnwys dau lafariad, lle bo un yn symud i'r llall e.e. *aw, ei, wy, we.*

diacen – lle nad oes pwyslais mewn gair. Fel arfer mae'r pwyslais ar y goben yn Gymraeg, felly mae'n symud os ychwanegir sillaf at y diwedd e.e. ***coll**ed, coll**ed**ion.* Mae'r sillafau eraill felly yn ddiacen.

dileisio – Mae rhai seiniau yn lleisiol e.e. *b, d, g,* hynny yw, mae rhyw hymio yn y gwddw wrth eu gwneud. Y ffurfiau dilais cyfatebol yw *p, t,* *c.* Dan rai amgylchiadau bydd yr hymio hwn yn peidio a dyma yw 'dileisio' e.e. ***tad*** ond *ei* ***that hi*** mewn llawer o dafodieithoedd, neu *teg* > *tecaf.*

ffrithiol – *fricative,* sain sy'n cael ei gwneud heb ffrwydrad, hynny yw sain y gallwch ei wneud am hir, fel *ch, dd, th, ff, f.*

goben – y sillaf olaf ond un e.e. ***sillaf****, sillafau.*

gorgywiro – Meddwl bod rhywbeth yn anghywir pan nad yw, a'i gywiro yn ddiangen e.e. tybio mai ffurf anghywir o *llef* yw *lle* ac adfer (camadfer mewn gwirionedd) yr *f* yn y lluosog *llefydd.*

gwefusol – seiniau a wneir gyda'r gwefusau e.e. *p, b, ff, f, w.*

isoglos – llinell ddychmygol sy'n cysylltu nodweddion tebyg neu sy'n nodi'r ffin rhwng nodweddion gwahanol. Mae isoglos rhwng *mâs* ac *allan* ychydig i'r de o Afon Dyfi.

llafariad – sain sy'n cael ei gwneud heb rwystr clywadwy yn y geg.

lluosill – mwy nag un sillaf e.e. *dafad, cyfrifiadur, Pwllgwyngyll.*

lluosog – mwy nag un e.e. *defaid, tai, cysgodion, afalau.*

orgraff – y ffordd o sillafu geiriau e.e. yn orgraff y Wladfa defnyddid *v* yn aml e.e. *Y Wladva.*

rhagddodiad – geiryn bach sydd ddim yn digwydd ar ei ben ei hun, ond y gellir ei roi o flaen gair arall i wneud gair newydd e.e. *di-* yn *diniwed, gor-* yn *gorfwyta, an-* yn *annymunol.*

terfyniad – geiryn bach sydd ddim yn gwneud synnwyr ar ei ben ei hun ond y gellir ei roi ar ddiwedd gair arall i newid yr ystyr e.e. *gwisg – gwisgo, banana – bananas, meddw – meddwol.*

trawsosod – sain yn newid lle mewn gair e.e. 'pyrnu' am 'prynu' ym Môn.

ymwthiol – sain sy'n ymddangos rhwng clwstwr o seiniau a all fod yn anodd i'w hynganu e.e. *pobl* > *pobol, llyfr* > *llyfyr.*

ynganiad – *pronunciation,* y ffordd y caiff gair ei ddweud, neu sain ei hynganu.

Geirfa

Cyflwyniad

Ar y cyfan cadwaf at y ffurfiau a noda'r cyfranwyr ond weithiau byddaf yn cysoni amrywiadau fel *co'd* a *côd* (coed). Weithiau nodir y gair Saesneg fel pennawd gan mai trafod amrywiadau'r Gymraeg yw'r amcan fan hyn, ac fel arall byddai'n rhaid dewis o blith sawl gair pennawd posibl. Os ydych am ddeall y byrfoddau sydd yn digwydd yma cofiwch edrych ar yr adran honno uchod.

Yma ac acw byddaf yn nodi hen ffurfiau geiriau er mwyn ceisio taflu ychydig o oleuni ar eu hanes. Os gwelwch asterisg o flaen gair mae'n golygu mai gair damcaniaethol wedi'i ail-lunio gan arbenigwyr yw e.e. **kukko-* (> cwch). Os ydych am ddeall ynganiad a ffurfiau'r fath eiriau mae arnaf ofn y byddai'n gofyn dipyn o adolygu a phori mewn llyfrau dwys. Mae Google a Wici o gymorth mawr.

Saif PIE am *Proto-Indo-Ewropeg* sef mamiaith ddamcaniaethol dwsinau o ieithoedd gan gynnwys y Gymraeg, Saesneg, Lladin, Groeg, Cwrdeg, Sanscrit, Albaneg, Hindi ac ati. Mae arbenigwyr heddiw yn damcanu y siaredid yr iaith hon ryw bum mil o flynyddoedd neu ragor yn ôl, rywle rhwng Lithwania a Khazakhstan. Iaith wedi'u hailgreu ar sail ei merchieithoedd yw. Mae yna drafodaeth arbennig o dda ar Wici.

Mae'r ffin, yn fras iawn, rhwng y Gogledd a'r De ychydig i'r de o Afon Dyfi, ond fel y rhan fwyaf o isoglosau, ffin niwlog yw ac un sy'n dueddol o symud gydag amser. Pan welwch gyfeirio at iaith y Gogs neu'r Hwntws mae angen cofio mai rhyw fras ddiffiniad yw.

Nid dyma'r gair olaf o bell ar yr holl faterion hyn ond gobeithio bod yma rywfaint sydd o ddiddordeb ac efallai o werth. Rhaid pwysleisio eto nad astudiaeth ysgolheigaidd, ddwys a dibynadwy sydd yma ond casgliad o anecdotau. Gwnaethpwyd pob ymdrech i sicrhau bod yr hyn a nodwyd yn ddilys ac yn ddibynadwy. Os oes cywiriadau neu sylwadau pellach i'w gwneud mae croeso ichi eu nodi ar y grŵp.

Dros hanner can mlynedd yn ôl cyhoeddwyd *The Linguistic Geography of Wales*, astudiaeth sy'n llawn o gannoedd o fapiau yn dangos dosbarthiad geiriau. Prin yw'r wybodaeth am amrywiadau yn yr ynganiad a phrinnach fyth yw'r wybodaeth am forffoleg berfau neu dreiglo, ymysg pethau eraill. Mae'r tafodieithoedd wedi newid rhywfaint erbyn hyn, gyda newidiadau mawr mewn cymdeithas ers chwedegau'r ganrif ddiwethaf ond gobeithiaf bydd y trafodaethau isod yn fodd i lenwi ambell fwlch, i drafod materion eraill ac i hyrwyddo diddordeb yn y Gymraeg. Erys gwaith mawr i'w wneud ar dafodiethoedd Cymru.

Adain bobi (ISF 13)

Dyma'r gair ym Môn am aden gŵydd neu iâr a ddefnyddid i lanhau'r popty ers talwm. Gan gyfaill o Landdona y'i clywais, wrth iddo chwifio un o'm blaen, ond ni nododd neb ei fod yn hysbys o hyd.

Allt, rhiw, tyle (LGW 491c)

Dyma'r sefyllfa a geir yn LGW. O Lŷn i Arfon i'r Gogledd-ddwyrain y gair arferol yw *allt*. Yn Eifionydd ac i'r de o Afon Dyfrdwy y gair *rhiw* sy'n tra-arglwyddiaethu. *Tyle* sydd fwyaf cyffredin yn ne Sir Gâr a Morgannwg. Mewn rhai ardaloedd yn Sir Frycheiniog a gogledd Morgannwg nodwyd *pitsh*. Mae GPC yn nodi bod y canlynol yn digwydd yma ac acw hefyd – *cnwc, rhipyn, gwerbyn, gofini, clip* a *trip*.

Mae'r dosbarthiad heddiw yn ymddangos yn debyg iawn i'r uchod. Mae'r ffurf *gallt* yn gyffredin yn Llŷn, Eifionydd, Arfon, Môn hyd at Sir y Fflint. Gorgywiriad yw hwn, oherwydd y dyb bod yr *allt* yn ffurf fenywaidd dreigledig. Mae heddiw dipyn o wamalu rhwng *allt* a *gallt*. Yn Sir Gâr ystyr *allt* yw *coedwig*. Nododd un Gog iddi fynd i fyw i Langadog a byddai pobl yn gofyn 'lle chi'n byw?', a phan fyddai hithau'n ateb 'i fyny'r allt' bydden nhw'n meddwl ei bod yn byw mewn coedwig yn rhywle.

Yng Nghapel Iwan a Phontardulais (neu Pontarddulais, sy'n orgywiriad o'r ffurf wreiddiol *Pont**aber**dulais*) nodwyd *rhiw*, ond mai *rhipyn* a ddywedai hen bobol. Nododd sawl bod *rhipyn* yn weddol hysbys o hyd yn Sir Gâr. Ym Maenclochog dywedwyd bod *rhipyn* yn llai o bellter na *rhiw*. *Tyla* a geir yn Resolfen, Merthyr a Rhymni a *tile* yn ardal Glynllwchwr. Nododd un o dop Cwm Gwendraeth ei bod yn cofio cael stŵr gyda 'mam a 'nhad' pan ddywedodd ei bod wedi mynd lawr y tyle. 'LAN y tyle a LAWR y gwired (gwaered)' oedd yn gywir, meddid. Byddai Cwm Gwendraeth i gyd yn dweud 'lan tyle, lawr gwered' er bod *lan* a *lawr* y tyle yn fwy cyffredin erbyn heddiw ym Mhontyberem. 'Mynd lan i'r trip neu'r tyla ac i lawr i'r goriweirad' (gweirad) a ddywedir yn y Rhondda a 'ma popith yn mynd sha'r goriweirad!' (gwaethygu – *everything is going downhill!*). Mae *goriwaered* yn hysbys yn Llŷn hefyd. Nododd un o Lithfaen 'gwelais hen dractor ar yr Eifl yn diffygio gan fod gormod o oriwaered iddo dynnu ei lwyth'. Nodwyd mai 'oriweurad' yw'r ynganiad.

Mae *clip* yn weddol gyffredin yn y Gogledd-orllewin am allt serth, a gellir cael 'rhyw glip go serth' ar allt. *Tripyn* yw llethr bychan ym Mhontarddulais – dau neu dri cham, ddim mwy na hynny e.e. 'meddylia am dirwedd y Cymoedd. Bydd gardd weithiau'n cynnwys tripyn rhwng un lefel a'r llall, neu mae angen mynd lawr y tripyn wrth ochr y tŷ i gyrraedd y cefn.' *Trip* yw yn Aberdâr. Dim ond un person a nododd bod *gofini* (go-fynydd) yn gyfarwydd am *ripyn,* a hynny yn Dre-fach Felindre. 'Arferid gweud wrth blant drwg oedd angen blas y pren bod gallt o goed yn tyddu ar eu cyfer nhw yn rhywle' (Llanddewi Brefi). Am *slope* dywedir 'mae gan y tyle gormod o weryd' (Llanelli). Yn Llanelli hefyd dywedir 'wered.' ... ar 'i wered, acha slant.' Yn y Gogledd-orllewin dywedir bod *allt yn drom* (serth).

Noder bod *rhiw* yn gyffredin mewn enwau lleoedd yn Arfon ac yng Nglyn Ceiriog (Rhiwlas yn y ddau le) er mai *allt* yw'r gair cyffredin erbyn heddiw. Mae enwau lleoedd yn aml yn dyst i hen ddosbarthiad daearyddol geiriau. Ceir Alltwalis yn Sir Gaerfyrddin a Phenallta yn y Cymoedd ond efallai mai cyfeirio at goedwigoedd a wnânt. Hyd y gwn i ni bu astudiaeth drylwyr o ddosbarthiad yr holl eiriau hyn mewn enwau lleoedd.

Daw *allt* o wreiddyn sy'n golygu *tyfu* ac mae'n gytras â'r gair Lladin *altus* a welwn yn *altitude* ac *exalt. Old* yw'r gair cytras yn y Saesneg a'r ystyr wreiddiol oedd 'wedi tyfu.' Ceir yr ynganiad cynharach yn ***ald**erman.* Mae *allt* digwydd mewn nifer o enwau lleoedd yn Lloegr hefyd, enwau a barhaodd wedi concwest y Saeson – Aldcliffe, Alt (x3) ac ati (BLITON). Yn y Llydaweg datblygodd yn *aot* a'i ystyr erbyn hyn yw *traeth,* gyda *traezh* wedi symud i olygu tywod. Mae tarddiad *rhiw* a *tyle* yn ansicr.

Arllwys, tollti, tywallt (LGW 84)

Ceir map manwl o'r geiriau a ddefnyddir yn LGW ond mae'r sefyllfa'n ymddangos yn fwy amrywiol o ran ynganiad. Ni thalodd yr astudiaeth werthfawr hon fawr o sylw i ynganiadau geiriau. Mae'r drafodaeth a gafwyd ar Facebook yn fras yn cadarnhau'r sefyllfa, sef ffurfiau ar *tywallt/ tollti* yn y Gogledd ac *arllwys* yn y De. Amrywiad gogleddol ar *tywallt* yw *tollti.* Ceir yr enghraifft gynharaf o *tywallt* mewn llawysgrif o'r drydedd ganrif ar ddeg ond diweddar iawn yw'r ail (GPC).

Allwys/allwish a geir yng Ngheredigion, gyda'r amrywiadau *hallwis(h)* ger Aberteifi. Yng ngogledd y sir ym Mwstryd cawn *'llwysyd* sy'n deillio o *arllwys* gyda'r terfyniad berfol *-yd* (> *arllwysyd*) ac yna golli'r rhan gyntaf sy'n ddiacen. Fe'i ceir gyda therfyniad berfol gwahanol yn Llandyfân sef *arllwyso. Arllwish* a gafwyd yn Sir Benfro. Nodwyd *harllwys* yng Ngheredigion, ond yn Llanddewi Brefi nodwyd eu bod yn *arllwys* te ond y bydd hi'n ***harllwys*** y glaw. Yn Sir Gâr, *arllwsh*, yn Rhydaman a Chwm-twrch *allwish*. *Allws* yng Nglynllwchwr. Ym Mrynaman a Phont-rhyd-y-fen ceir *yrllws* gyda'r *a* wedi troi'n *y*-dywyll. Clywir *yllwys* ym Mhontardulais gyda cholli'r *r*. Digwydd yn y Canolbarth hefyd – yn Nyffryn Banw cafwyd *allos* gyda *'lloesi/'loesi* yn Nyffryn Ardudwy, sef *arlloes*, amrywiad ar *arllwys* mae'n debyg. Parodd ychwanegu'r terfyniad berfol *-i* symud yr acen o'r sillaf gyntaf i'r ail (***ar**lloes* > *ar**lloe**si*) ac wedyn collwyd y sillaf gyntaf ddiacen gan roi *'lloesi*.

Cymysgedd mawr sydd yn y Gogledd gyda *tywallt* a *thollti* yn ymddangos blith draphlith. Ar y cyfan mae *tywallt* yn fwy tueddol o olygu '*to pour*' tra bo *tollti* yn golygu gwneud yn anfwriadol '*to spill*'. Byddwn i'n amau i'r Gogs ychwanegu terfyniad i *tywallt* gan roi *tywallti* ac yna collwyd y llafariad gyntaf ddiacen. O *t'wallti* digon hawdd newid yn *twollti* a chan nad oes *tw-* yn hanesyddol yn y Gymraeg cafwyd *tollti*. Os felly, rhannodd yr un gair yn ddau gyda *thywallt* yn ffurf fwy llenyddol. Ond mae'n aneglur a oes ystyron gwahanol iddynt ym mhobman neu ai rhywbeth yn y Gogledd-orllewin yn unig yw. Ceir hefyd y gair *tolltwr* '*spout*'. Cofia un fynd 'efo Mam i brynu tebot a hithau'n gofyn am ddŵr iddi hi gael gweld sut dolltwr oedd. Cwilydd!'

Y mae tarddiad *arllwys* yn aneglur, a thywyll hefyd yw gwreiddiau *tywallt*.

Backwards

Amrywiadau ar *tua(g) yn ôl* sy'n arferol yn y De. Ceir *sianôl* (Tymbl, Llanelli), *siag 'nôl* (Tregaron) a *siag yn ôl* yng Nglyn Llwchwr. Yn Nyffryn Aman mae tywyllu'r *a* gyntaf yn arferol a cheir *siynôl*. Yn Aberteifi a Phreseli *am 'nôl* a glywir. Nododd un o Bencader mai '*backwards*' bydden nhw'n ei ddweud yn naturiol yn blant ym Mhencader ond eu bod bellach yn dweud *sianôl*. Credaf ei fod yn ddigon cyffredin gweld pobl yn Cymreigio'u hiaith wrth ddod yn oedolion. Ym Mlaenau Morgannwg ceir *llwr' i cefna* (*llwrw eu cefnau*). Gair am drywydd neu lwybr yw *llwrw*.

Y ffurf arferol yn y Gogledd yw *wysg eu cefnau*, neu *wysg eu tina* os ydym yn siarad yn llai parchus. Gall rhywun neu rywbeth (fel car ar fin cael damwain) fynd yn *wysg ei ochor* hefyd. Cofiaf blismon yn Llanfairpwll yn nodi hyn imi wrth imi ddisgrifio damwain fan a welais ym Mhorthaethwy. Yr unig le yn y De lle nodwyd y gair hwn oedd yn Dre-fach Felindre lle dywedir *mynd wisg 'yng nghefen*. Ceir *am yn ôl* ym Môn a *bacio'n ôl* ym Mhenllyn. Yr wyf hefyd yn gyfarwydd â *bagio*, am gar, yn y Gogledd-orllewin.

Bachgen, hogyn, crwt etc. (LGW 476a)

Gweler y drafodaeth am *geneth* hefyd. Y ffurfiau a gofnodwyd hanner canrif yn ôl oedd *hogyn, bachgen, crwt(yn), rhocyn* a *còg* (LGW). Digwydd *hogyn* yn bennaf yn y Gogledd-orllewin, a digwydd *bachgen* yn bennaf yn y Gogledd-ddwyrain a Maldwyn, yn ogystal ag yma ac acw yn y De. I'r de o Afon Rheidol y brif ffurf yw *crwt(yn)* tra bo *rhocyn* yn digwydd ym Mhenfro a de Ceredigion. Dim ond ym Maldwyn y clywid *còg*, ond mae cryn dipyn o gymysgu, a sawl ardal yn nodi mwy nag un ffurf.

Mae'r dosbarthiad heddiw yn edrych yn ddigon tebyg. Yn ardal Tregaron nodwyd *bois* a *cryts* ac yn Dre-fach Felindre *crwtied llafne*. Ym Môn gall *hogia* gyfeirio at fechgyn a genethod. *Cogie* a *gogie* a geir ym Maldwyn ac yn ne Meirionnydd. Cofiaf un o'r teulu o'r Gogledd-ddwyrain yn pendroni ar ôl iddi glywed gwraig o Fôn yn dweud ei bod yn 'mynd i olchi'r hogia', a hithau ond â dwy ferch. Gall *golchi* olygu 'curo' ym Môn ac felly hyn a olygai oedd ei bod am guro'i dau fab drygionus.

Yr unig air brodorol yma yw *bachgen* ond mae ansicrwydd ynghylch ei darddiad. Mae'n bosibl mai *bach+cen* sydd yma, gyda'r un *cen* ag yn ***cen**edl*, a fyddai yma'n golygu 'newydd'. Os felly byddai'n perthyn i'r gair Saesneg *re**cen**t* a ddaw o'r Lladin. Daw *hogyn* a *rhocyn* o'r Saesneg *hog* sef 'anifail ifanc'. Daw *crwt* o'r Saesneg *crut* sydd yn ei dro yn dod o'r Ffrangeg *crotte* (DEB) 'tamaid'. Mae tarddiad *còg* yn ansicr, er bod GPC yn amau mai o'r Saesneg *cock* y daw.

Beiro

Y feiro (*goch*) a ddywedir i'r gogledd o Drawsfynydd hyd at Ruthun. Gwrywaidd (*y beiro glas*) yw yn Rhosllannerchrugog, Glyn Ceiriog ac yn ne Cymru. Mae'n anodd gwybod pam y dewisodd rhai ei wneud yn air benywaidd. Ar y cyfan mae geiriau benthyg diweddar yn wrywaidd. Mae'n debyg y byddai eu treiglo yn eu dieithrio ormod, er ei fod yn amlwg na fu hyn yn rhwystr ym mhobman yn achos y gair hwn.

Beudy (LGW 24)

Y gair mwyaf cyffredin ledled y wlad yw *beudy*, y gair arferol o ogledd Môn i gyrion Abertawe, gyda llawer yn ei ddefnyddio ym Morgannwg hefyd. *Boidi* yw'r ynganiad arferol yn Sir Gâr a de Ceredigion. *Bidi* yw'r ynganiad arferol i'r dwyrain o Afon Tywi. Daw o *beu-* 'buwch' a *tŷ* (gair cyfansawdd). Gwelir yr elfen *beu* hefyd yn yr enw personol Beuno (*beu* + *gno* 'cyfarwydd'). Mae hwn yn perthyn yn agos i'r *bu-* sydd yn *bugail, buarth, buches* a *buwch*. O'r gwreiddyn PIE *g^{w}ow-* 'buwch' y daw. Yn yr ieithoedd Germaneg dileisiwyd pob *g* yn *c*, ac felly cafwyd y gair *cow* yn yr iaith fain. Gwelwn y gwreiddyn hwn yn *bovine* a ddaw o'r Lladin *bos*, ei hun efallai yn fenthyciad o un o'r ieithoedd cyfagos iddi o'r un teulu. Dichon eich bod yn gyfarwydd â'r afon Bóinn (Boyne) yn Iwerddon. Y ffurf a nodwyd gan Ptolemy, yr ysgolhaig Groegaidd o Alexandria, tua 140 OC oedd 'Bouuinda' sef *bow* 'buwch' a *windā* 'gwyn', efallai'n cyfeirio at ryw dduwies. Mewn Hen Lydaweg ceir y sillafiad *boutig* am beudy, ac fel hyn yn union y buasai mewn hen Gymraeg. Ni fyddai'r hen ieithoedd Brythoneg yn dangos y treiglo, a byddai'r gair yn swnio yn debyg i 'bowdych' fil o flynyddoedd yn ôl.

Daw'r *tŷ* o'r gwreiddyn **(s)teg-* 'gorchuddio' a welir yn *to* hefyd. Yn y Saesneg y gair cytras yw *thatch*. Benthycodd y Saeson air o'r Iseldireg sef *deck* 'llawr llong', hynny yw y gorchudd. Mewn Lladin y gair cytras yw *toga*. Gair Lladin arall sy'n perthyn iddo yw *tegula* a hwn, yn y pen-draw a roddodd y Saesneg *tiles* ac a fenthyciwyd i'r Gymraeg. Eto o'r Lladin y daw'r Saesneg *pro**tect***. O'r Roeg y cawsom ***Steg**osaurus* gan fod yr archaeolegydd o fathwr yn credu bod y platiau ar ei gefn yn gorwedd yn wastad, fel teils ar do. Mae'n bosibl hefyd bod y gair Saesneg *thug* yn dod o'r gwreiddyn hwn. O'r Hindi y daw, ac efallai ei fod yn cyfeirio yn wreiddiol at rywun cyfrwys sy'n cuddio pethau.

Ceir *côr* yng ngogledd-ddwyrain Cymru ond mae'n ymddangos bod hwn yn ildio i *beudy*. I lawer mae'r gair hwn yn golygu rhan o'r beudy yn unig. Mae'n debyg ei fod yn cyfeirio yn wreiddiol at glwyd o wiail, a ddefnyddid i rannu'r hen dai unllawr yn ddwy ran. Gwelir yr elfen hon yn *ban**gor*** hefyd, sef y ffon fawr a roid ar frig y glwyd. Mae'r gair hwn yn fyw ac yn iach ym Môn. Cyfeirio at y ffon hon a wna enw'r ddinas Bangor. Efallai bod rhyw fangor trawiadol yno. Digwydd yn *cored*, sef (yn wreiddiol) plethwaith hir o wiail a roid ar draeth mewn siâp *u* i ddal pysgod wrth i'r llanw godi a threio.

Yn nwyrain Maldwyn ceir y ffurf *blaid*. Y gair *plaid* wedi'i dreiglo ydi hwn, a oedd yn cyfeirio'n wreiddiol at wal fewnol tŷ. Dichon mai cyfeirio at gyfnod pan gedwid gwartheg dan yr un to â'r perchnogion a wna, pan na fyddai ond plaid yn eu rhannu. Mae'n digwydd weithiau bod ffurfiau treigledig geiriau cyffredin yn disodli'r ffurf wreiddiol, fel *pobol* i *bobol* (llawer o fobol) mewn rhannau o'r gogledd. Fel arfer digwydd gyda geiriau benywaidd oherwydd eu bod yn treiglo ar ôl y fannod bendant e.e. *plaid* > *y blaid*. Y gwir yw ein bod yn aml yn clywed ffurfiau treigledig yn amlach na'r ffurfiau cysefin, mewn sgyrsiau beunyddiol e.e. Mae'r **b**laid wedi torri, mae dwy **b**laid yma, mae dy **b**laid wedi torri, rho fo ar **b**laid dy dad. 'Cymryd plaid' oedd mynd at un ochr mewn anghydfod, nid yn llythrennol efallai, a datblygodd *plaid* i olygu criw o bobl oedd yn cytuno â'i gilydd gan roi inni *Y Blaid Brexit, Plaid Cymru, Y Blaid Werdd* ac ati. Mae tarddiad y gair 'plaid' yn gwbl anhysbys.

Ym Mhenfro ceir *tŷ gwartheg*. Mae'n debyg bod hwn yn derm gweddol ddiweddar pan mai arloesiad oedd dechrau cadw gwartheg mewn adeilad penodol, i'r werin beth bynnag.

Gair a gofnodwyd ym Mhenfro ac ym Morgannwg yw *glowty*. *Gwaelod+tŷ* yw hwn ac unwaith eto mae'n cyfeirio at y ffaith y byddai dyn a buwch yn byw dan yr unto tan yn gymharol ddiweddar, gyda'r gwartheg yn y rhan isaf, fel na byddai'r biswail yn llifo i ran y teulu.

Erbyn hyn mae pethau wedi newid dipyn, wrth i ffermio foderneiddio. *Sied wartheg* a ddywedir am yr adeilad mawr metel ac mae gan ffermwyr *barlwr godro* yn ogystal. Mae *beudy* a *glowty* yn gyfarwydd yn ngogledd Penfro: *boidy* yw'r ynganiad ym Mhenfro a de Ceredigon. Mae *côr* yn hysbys o hyd yn y Gogledd-orllewin. Yn Sir Faesyfed clywid *besws* (o'r Saesneg '*beast-house*') a honnir bod y ffurf Gymraeg wedi parhau hyd heddiw yn nhafodiaith Saesneg rhai pentrefi.

Yn Arfon dywed rhai mai'r *côr* yw'r adeilad i gyd ond yng Ngheredigion mae'n cyfeirio at ran benodol ar gyfer buwch unigol. Nododd un y canlynol: '*côr/corydd* fydde fy ewyth yn deud yn Nyffryn Clwyd. *Côr* fydde bobol Ceredigion yn deud am seti capel a'r *côr mawr* am y *sêt fawr*. *Côr* 'di'r beudy cyfan lle ma'r catal yn cael eu godro (Rhiw, Groes ger Dimbech)'. Nodwyd hefyd mai: '*côr* yn Nwyfor ydi y '*passage*', o flaen y minsiar lle roeddych yn gallu cerdded i fwydo'r fuwch a cario gwair iddi o'r caets gwair, sef ystafell fechan lle cedwid trenglan neu ddwy o wair, neu hanner dwsin o fyrnau bach. Byddech yn rhwymo'r fuwch gyda aerwy a byddai'r fuwch yn sefyll yn y stôl. Rhan ôl ohono ydi llaesod. Mae'r cyfan yma wedi hen fynd, fawr neb yn cadw buchod mewn beudy bellach. Pwysicach ydi cadw geiriau fel piswail am gymysgedd o dail a piso a dim ei alw yn slyri, erthyl Saesneg. Mae llaesod yn dal yn rhan o gudduglau lle mae gwartheg heddiw yn gorwedd ynddynt ac yn rhydd i gerdded o gwmpas fel y mynnont'. Ym Môn nodwyd '*côr* ydw i wedi glywed am y ffordd tu ôl i'r minsiar a'r rhesal, er mwyn cael porthi bob buwch heb gael eich gwasgu ganddi. Mae'r hen dermau i gyd yn cael eu cymysgu ac felly eu colli, gwaetha'r modd'. Yn Nhregaron nodwyd '*stâl*, ble mae'r fuwch yn sefyll, *bing*, lle mae'n bwyta, *sodren*, y llwybr hyd y beudy islaw'r *stale*, lle bydd y dom yn casglu ac yn cael ei garthu'. Ym Mhenllyn eglurwyd mai'r '*llaesod* ydi'r rhan o'r *côr* ble mae'r gwartheg yn gorwedd ac o'u blaenau mae'r *mansiar* ble rhoddir gwair/porthiant iddynt ac o flaen hwnnw mae'r *bing* ble cedwir gwair/porthiant. Y beudy ydi'r cwbl efo'i gilydd'. O Lŷn cafwyd 'ond fawr un fuwch yn gorwedd mewn beudy wrth eurwy bellach. Maent yn gorwedd bellach mewn 'ciwbicls' neu gudduglau. Ond mae y gair llaesod yn berthnasol i hwnnw, ond dim 'minsiar' (*manger*) o'i blaenau, ac yn cael ei ddefnyddio gan nifer ohonom'. Yn Nhrefenter nodwyd y geiriau *irw* (aerwy), *pont yr eirw*, *côr*, *bing* a *sodren*. Yn Eifionydd nodwyd mai *sgrwff* yw'r gwair bras o dan draed. Yn Llanbedrog nodwyd mai *caledran* yw'r wal rhwng y gwartheg, *preseb* ydi '*manger*' ac mae ar goesau. Mae *minshar* ar lawr. Cofio gofyn pam i Nhad ers talwm. Preseb i geffyl, minshar i fuwch. Buwch yn codi ar ei choesau ôl felly byddai ei phen yn mynd yn sownd o dan y preseb. Ceffyl yn iawn am ei fod yn codi ar ei goesau blaen yn gyntaf'. Dyfyniad arall a gafwyd oedd '*cit llue* yn Sir Ddinbech ond *cwt lloia* yn Sir Gynarfon'. Mae *llaesod* a '*sodren* ill dau yn dod o *llaesodr*, ond wyddon ni ddim o ble daw y gair hwnnw.

Blynyddoedd, blynydde

Lluosog safonol *blwyddyn* yw *blynyddoedd*, ond mae *blynyddau* yn gwbl dderbyniol yn ogystal. Mae'n ymddangos mai'r lluosog gwreiddiol oedd *blwyddynedd*, a ddaeth yn *blwynyddedd* trwy drawsosodiad. Symleiddiwyd *blwynyddedd* yn *blynyddedd*, ac o hwn cafwyd un o ffurfiau'r De *blynydde*. Dichon bod dylanwad y lluosog *-au* yma, a yngenir fel *-e* yn y rhan fwyaf o'r De. Yn y Gogledd cymerodd y ffurf luosog *blynyddoedd*, gyda'r ynganiad *blynyddodd*. Yn Sir Benfro mae/ə/yn troi'n/ɪ/yng nghanol geiriau lluosill felly cawn *blinidde* [blɪnˈɪðɛ̈]. *Blinidde* yw'r ffurf a gafwyd yng Nglynllwchwr, ac yn y Rhondda, *blynydda* [blənəðʌ]. Nododd ambell un o'r De eu bod yn fwy tebygol o ysgrifennu'r ffurf ogleddol *blynyddoedd*. Tebyg yw'r ffurf Gernyweg *blythen* a'r Llydaweg *blizenn* a'r Hen Wyddeleg *bliadain*, ond mae'r tarddiad yn ansicr.

Bondibethma

Gwelwyd y gair hwn uwchben *Burger King* Llanelli, yn *Cartref y Bondibethma* (*Home of the Whopper*). Braf gweld rhywun yn defnyddio dipyn o ddychymyg yn hytrach na chyfieithu'n slafaidd. Holodd un aelod Hywel Gwynfryn a gadarnhaodd mai ef a fathodd y gair yn wreiddiol, ar gyfer ei raglen radio pop yn 1968 i gyfleu rhywbeth fel '*wowfabgroovy*' yn Saesneg. Cyfuniad yw o *bondi(grybwyll)+bethma* wrth gwrs. Bu trafodaeth wedyn am *thingamyjig* a nodwyd mai *bechingalw* sydd ar lafar yn Llanelli gyda *bechi(ng)alw* yn Nhregaron. *Bethma* a ddywed Gogs. Aethpwyd wedyn i holi sut i gyfleu 'Whopper' a chafwyd y cynigion creadigol canlynol: *wompyn* (Llanelli), *whompyn* (Rhydargaeau), *whalpyn* (Tregaron), *cwlffyn, slabyn, twlpyn* (Dyffryn Aman), *clopan* (y Cymoedd), *swmpyn* (Ceredigion). Efallai y gwelwn enwau Cymraeg ar ein byrgyrs yn fuan.

Branar – 'ti'n buta fel 'sa'r branar arnat ti'

Clefyd ar wartheg yw'r *bra(e)nar* sy'n peri iddynt fwyta pob math o bethau anarferol fel dillad ar lein. Ger Capel Curig y'i clywais ychydig o flynyddoedd yn ôl ond ymddengys ei fod yn wybyddus ym Mynytho hefyd. Y gair yng Nghlynnog yw *brangal*.

Breuddwyd (WVBD 55)

Gwrywaidd oedd y gair ym Mangor gan mlynedd yn ôl – *y breuddwyd*. Fel yna y mae yn ein llenyddiaeth yn gyffredinol, 'neithiwr cefais freuddwyd mawr'. Erbyn hyn mae'n ymddangos mai benywaidd yw i bawb bron, er bod *y breuddwyd* i'w glywed ym Mlaenau'r Cymoedd weithiau, a hefyd ffurf gyda thrawsosod – *y firddwd*. *Y friddwd* a ddywedir yn y Rhondda a *breuddwyd gwrach* (/briddwd gwræʌch/) yw rhywbeth na welwn byth mohono. Ceir trawsosod hefyd yn *byrddwydo* (Tŷ Croes, Sir Gâr). Mae tarddiad y gair hwn yn gwbl anhysbys, er efallai bod rhyw gysylltiad ag ail elfen y gair Llydaweg am freuddwyd, sef '*hunvre*' (*hun+bre*?).

Brwnt

Mae'n debyg mai dyma un o'r geiriau nodweddiadol hynny sy'n peri dryswch rhwng Gogs a Hwntws. Ystyr y gair *brwnt* yn y De yw *budr* (*dirty*), a gair arall am hyn yno yw *bowlyd* (o *baw*). Yn Eglwyswrw ceir y ddwy ystyr: gellir *whare'n frwnt* a cheir *dillad brwnt* yn ogystal. Yn y

Gogledd mae *brwnt* yn golygu *cas* neu *greulon*. Gall rhywun gael *dolur brwnt* a gall plant a phobl bod yn *frwnt* hefyd, hynny yw yn ffiaidd hefo dwrn neu eiriau. Ym Môn clywir pethau fel *hen fwli brwnt, mi chwalodd y briodas am ei fod o'n frwnt efo hi* (difrifol iawn), *hen beth brwnt ydi brech yr ieir*. Mae'r ffurf fenywaidd yn arferol hefyd – *dyn brwnt* ond *dynes front* (ac yma mae rhyw awgrym eithaf annymunol). Ym Môn chlywais *Mae brân i bob brân*, a'r ateb *A dwy frân i frân front*. Ni wyddom o ble daw y gair *brwnt*.

Budr

I'r rhai ohonoch sydd wedi darllen y nofel *William Jones* byddwch yn cofio'r olygfa mewn trên lle dywed gŵr o'r Rhondda wrth y Gog hwn bod cyfaill iddynt yn *fachgen bidir* (budr), ac yntau'n methu'n lân â deall. Yn y Gogledd, a hefyd yng ngorllewin Sir Gâr, mae *budr* yn golygu *brwnt, ffiaidd* (*ffiedd*), *wedi trochi, aflan, mochedd*. Nododd sawl un o'r Gogledd y byddai eu rhieni yn arfer gofyn 'ti di bod yn sugno hwch?' pan fyddent yn fudr. Yn y Gogledd-orllewin golyga ryw hanner gwneud rhywbeth e.e. *budur 'nabod, budur wbod* – rhywbeth wedi ei *how wneud*, ei *hanner gwneud*. Yn y Felinheli nodwyd 'fyddwn i yn dweud am lo bach neu loia bach heb gael digon o lefrith ei bod wedi 'ryw fudur fagu'.'

Nodwyd nad oedd y gair yn gyfarwydd yn Nhregaron, er bod Rhydfudr heb fod ymhell. Ymhellach i'r dwyrain yn ardal Rhydaman yr ystyr yw *drygionus*. Ym Morgannwg *bachan budur* yw '*a bit of a lad*' a dyma a barodd gamddealltwriaeth William Jones. Nododd un o'r Rhondda y byddech yn 'arfer ei glywed e pan oedd rhywun yn moyn pwysleisio rhywbeth e.e. 'ma mam yn fidir o dost', a 'bachan bidir yw Twm' (*Twm is a hell of a guy* – nage *hen ddyn brwnt*)'.

Bumble Bee

Mae'n ymddangos bod cryn dipyn o ddrysu ynglŷn â'r geiriau am y gwahanol fathau o drychfilod streipiog (coliog ambell dro) tebyg i wenyn. Os ydych am ddadl yn y swyddfa neu'r stryd holwch eich cydweithwyr neu eich cymdogion am holl enwau'r rhain! Yn fras dywedir *cacwn* yn y Gogledd a ffurf ar *cachgi bwm* yn y De. Mae angen trafod yr holl eiriau eraill (fel *gwenyn*) a'u defnydd, ond yma cyfyngaf fy hun i'r ymatebion i *bumble bee* yn unig. Llun a sbardunodd y drafodaeth. Prin neu gymysglyd yw'r ffurfiau lluosog a'r rheswm am hyn yw mai creadur sy'n gweithio ar ei ben ei hun yw.

Er mai *cachgi bwm* sy'n arferol yn y De cafwyd *bwmbi* yn Llanddewi Brefi, a'r lluosog *bwmbis,* a *cachgi bwmp* ym Metws Ifan. Ar lafar clywyd *cachu bwm* yn Sir Gâr. Hen swnyn yw rhywun sydd fel 'cachgi bwm mewn pot'. Yng Nglyn Llwchwr nodwyd *picacwnen, picwn* am 'wasp(s)' a *bycicwnen* (ll. *picwns*) yn yr Hendy a Phontarddulais.

Yn ardal Bangor nodwyd tua dechrau'r ganrif ddiwethaf (WVBD) y gallai *cacwn* gyfeirio'n fras at unrhyw fath o wenyn neu gacwn ac ati. Y ffurf arferol yn y Gogledd ar gyfer yr unigol a'r lluosog yw *cacwn,* hynny yw mae fwy neu lai yn air torfol neu heb rif – er mai prin bod angen cyfeirio at fwy nag un. Ymddengys mai gair llyfr yw'r unigol *cacynen.* Er hyn mae'r ffurf *cacynnod* yn gyfarwydd i rai pan fo gwir angen nodi bod llawer ohonynt. Yn Rhosllannerchrugog y gair amdano yw *gwenyn* tra bo *cacwn* yn golygu '*wasp*' (gwenyn meirch). Yn y pentref hwn nodwyd hefyd y ffurf *cacen* am un. Yn Llansilin nodwyd mai'r gair yw *gwenyn meirch,* sydd fel arfer yn y Gogledd yn cyfeirio at '*wasp*'. Y gwir yw bod cryn ddryswch ynghylch enwau'r pryfaid pigog hyn a byddai rhagor o ymchwil yn fuddiol.

Pan fo rhywun dros ben llestri o flin dywedir eu bod yn *wyllt gacwn.* Ym Môn clywyd *cacwn gwyllt* am '*wasp*', ac ynfyd o beth yw *cicio nyth cacwn.* Yng Nghwm Gwaun gellir gofyn am 'lond clust cacwn o de' sef tipyn bach, bach.

Mae tarddiad y gair *cacwn* yn aneglur ond mae'n debyg bod rhyw gysylltiad â'r *cach-* sydd yn *cachgi,* er nad oes a wnelo ddim â *cachu.* Efallai bod rhyw gysylltiad hefyd rhwng y *-cwn* yn *picwn* ('*wasp*' mewn rhannau o'r de), a'r *ci* yn *cachgi.* Mae'r gair *cacwn* yn anarferol gan fod *c* rhwng llafariaid yn eithriadol yn yr iaith: dim ond o ddileisio *g* y daw, e.e. *teg+-haf* > *tecaf.* Mae *cacwn* yn digwydd yn y Gymraeg mor gynnar â'r drydedd ganrif ar ddeg felly mae dylanwad y Saesneg yn annhebygol yma. Mae'r elfen *bwm(p)* yn dod o'r Saesneg ac yn golygu '*boom*' neu '*buzz*'. Gair tafodieithol Saesneg am *bumble bee* yw '*dumbledore*', a ddefnyddiwyd fel enw prifathro enwog ysgol Harry Potter.

Butterfly (LGW 169, WVBD 152)

Dyma un o'r geiriau yr holwyd amdano ar gyfer LGW, ac mae dosbarthiad y gwahanol ffurfiau yn weddol ddyrys. Y ffurfiau a nodwyd o Fangor ganrif yn ôl yw *glöyn, gloywyn, gloyfyn* a *glwyfyn.* Yn anffodus nid yw LGW yn dangos ymhle y digwydd y gwahanol ynganiadau. Ffurfiau ar hwn a glywir ledled y Gogledd, ac fe'i clywyd mor bell i'r de â Chapel Bangor. Ffurf arferol y De yw *(g)iâr fach yr haf* ond fe'i clywid hefyd yn Arfon, yma ac acw ym Meirionnydd a hyd yn oed yn nwyrain pellaf Sir Ddinbych. O gwmpas gorllewin Morgannwg ceir clwstwr bychan lle'r oedd *bili bala* neu *pila pala* yn gyffredin. Yng Nghwm Tawe nodwyd *plyfyn bach yr haf* mewn dau le.

Erbyn heddiw mae'r sefyllfa wedi newid yn syfrdanol. Y brif ffurf a geir yn y Gogledd erbyn hyn yw *glöyn byw*. Y lluosog arferol yw *gloÿnnod byw* ond nodwyd *gloywod byw* yn Nwyfor a'r Bala. Ym Mhenrhyndeudraeth cafwyd *glowyn byw* a'r lluosog *glywynod byw*. Nododd un o Fôn *golyn byw* a *golynnod byw*. Mae'n debyg i hwn ddatblygu o *glöyn Duw* tua'r ddeunawfed ganrif rhag cymryd enw Duw yn ofer. Mae enwau crefyddol fel hyn yn ddigon cyffredin mewn enwau trychfilod. Er enghraifft cyfeirio at y Forwyn Fair a wna ***Ladybird***. O *glo+-yn* y daw, efallai gyda'r ystyr 'colsyn sy'n llosgi'n ddisglair'. Cynnig arall (GEM) yw ei fod yn dod o'r gair *gloyw*. Mae *glöyn byw* yn gyffredin ledled y Gogledd o hyd, ond mae'n ildio i *pili pala* ymysg y to ifanc.

Mae *iâr fach yr haf* yn gyffredin trwy'r De oll ond mae'n parhau yn Wrecsam ac fe'i nodwyd yng Ngwalchmai a Llanfairpwll hefyd ac yma ac acw yn Arfon. Nid yw LGW yn ei nodi fan hyn. Dim ond yn Nhregaron y nodwyd yr amrywiad *giâr*. Hyd yn oed yn y De mae *pili pala* yn disodli ffurfiau eraill. Mae hefyd yn gyffredin ymysg dysgwyr, a sylwer ar y sw gloÿnnod o'r enw *Pili Palas* ym Mhorthaethwy. Rhaglen deledu i blant oedd *Pili Pala* yn y 70au, a dyma'r ffurf a ddefnyddir gan lawer o ysgolion. Ni nodwyd *pila pala* yn yr ardal lle'i cafwyd hanner canrif yn ôl ond digwydd *lili pala* yn Llandybïe. Mae GPC yn cynnig taw ffurf ddyblyg ar y gair *pilai* 'glöyn byw' yw *pili pala*, ond mae tarddiad hwnnw yn anhysbys. Ni wyddom pam y ceir y gair '*butter*' yn *butterfly*.

Bwyell (ll. bwyeill, bwyyll, bwyellau, bwyelli)

Bŵell yw'r ynganiad yn y De, gyda *bwelli* fel y lluosog arferol. Yn y Rhondda cafwyd *bŵall* ac yng Nghwm Tawe cafwyd y lluosog *bwiyll*. *Bwyall* (neu *bwyell*) sydd yn y Gogledd, yn ôl y dafodiaith. *Bwyeill, bwyill* a *bwyelli* (Môn) a gafwyd fel lluosog yn y Gogledd. Yr wyf i'n gyfarwydd â'r ynganiad *bwill* yn ardal Bangor. Ond ceir *bwyelli* hefyd mewn rhai ardaloedd fel Llŷn.

Yn Eryri a Phenrhyndeudraeth ceir y ffurf *wyall* lle mae *f-*, y ffurf dreigledig, wedi troi'n *w-*, mae'n debyg oherwydd mai *w* sy'n ei dilyn (*y fwyall* > *y wyall*). Yr hyn sy'n ddiddorol yw i lawer yn y Gogledd nodi bod y ffurf *bwyallt* yn y dafodiaith hefyd – 'Ble mae'r wyallt?' OND 'sawl bwyell sydd gen ti?' Yn y Gogledd mae'r *t*-barasitig yn gyffredin ond mae'n ansicr ym mha ardaloedd yn union y digwydd. Gallen ni gymharu hyn â *deall* > *dallt*.

Bahell yw ffurf ysgrifenedig Hen Gymraeg. Mewn Llydaweg Canol ceir *bouhazl* ac mewn Cernyweg Canol *boell*. O'r gwreiddyn PIE *$b^{h}eiH$- 'trawo' y daw. Rhoddodd hwn '*bill*' (pig aderyn) yn y Saesneg a hefyd enw'r ardal Bohemia (mae'n debyg) a enwyd ar ôl y *Boii*, y llwyth Celtaidd a drigai yno ryw ddwy fil o flynyddoedd yn ôl. Mae'n debyg y credid eu bod yn bobol oedd yn trawo'n galed, neu rywbeth felly. Germaneg yw'r ail elfen ac mae'n cyfateb i'r gair Saesneg '*home*', a'r elfen *-ham* a geir yn aml mewn enwau lleoedd Saesneg.

Bwyta

Ceir yr ynganiadau *bwyta, buta, byta* a *bita*. *Bita* sydd yn y De ond, wrth symud tua'r gogledd yng Ngheredigion daw *byta* yn fwy cyffredin. Ymddengys bod *buta* yn arferol ym Môn. Yn Nyffryn Conwy mae *buta* a *byta* yn hysbys, tra mai *buta* sydd fwyaf cyffredin erbyn cyrraedd Harlech. I'r dwyrain yn Sir Ddinbych *bwyta* yw. Yn y Rhondda dywedir *Ma fa'n byta'i ira* ('bwyta'i eiriau', siarad yn aneglur) gyda *byta* a *bita* yn cydfodoli. Yn y De ceir y gorchmynnol 'bit dy fwyd!', ond 'byt dy fwyd!' yn Llanddewi Brefi. Yn Llambed clywir 'byta dy fwyd!' fel ag yn y Gogledd. 'Bit dy wala!', 'bytwch yn iach!' (*eat to your heart's content*) – Y Rhondda. Ym Mhontardulais clywir *bit!* a *byta!* Clywir *bita* mewn rhai lleoedd (fel Maenclochog, Rhydaman) am *cosi – 'y mraich i'n bita*.

Daw o'r un gwreiddyn â *byw* a *byd*, sef *$g^{w}eih_{3}$- 'byw'. Mae llawer o eiriau cytras mewn ieithoedd eraill ond byddai'n llafurus egluro'r newidiadau oll. Mae *quick* yn Saesneg yn gytras, fel ag yn '*the quick*' – 'y byw', y croenyn tenau dros waelod ewin, a *quicksilver* a *quicksand* lle mae'n golygu 'byw'. Mae'r Lladin *vīta* 'bywyd' hefyd o'r un tarddiad a rhoes hwn *vital, vitamin, revive* ac ati. Y ffurf Roeg yw *bio- – biology, biography*. Efallai eich bod yn hoff o'ch *uisge beatha*, y term Gaeleg am *ddŵr bywyd* a roddodd '*whisky*' inni. Mae *beatha* hefyd yn gytras.

Bysedd

Llanfairpwll	Modryb y fawd, bys yr uwd, hirfys, cwtfys, a bys bach, bach, bach.
Gwalchmai	Modryb y fawd, bys yr uwd, hirfys, cwtfys, Sioni Cwta bach, bach, bach.
Pentre-cwrt	Bys bwtsyn, Tom Siwgryn, Lam Lamon, Beti Boron a Wil Bach.
Trawsfynydd	Bawd mawr, bys yr uwd, hirfys, byrfys, widw fach.
Clunderwen	Modryb y fawd, bys yr uwd, pen y cogwr, Dic y peipyr a Sioni co bach.
Llanddewi Brefi	Bys Bwtsyn, Twm Swglyn, Long Harris, Jac Lewis, Bys Bach.
Rhos-lan	Modryb y fawd, bys yr uwd, pen y cogwr, Dic y peipar a Robin co bach.
Llanfachreth	Bawd mawr, bys yr uwd, pen y gogor, Bili pipar a'r fedw fach, fach, fach.
Tregaron	Bys Bwstyn, Twm Swclyn, Long Harris, Short Morys a Wili Bach.
Dyffryn Aeron	Bys pwcslyn, Twm swclyn, Long Harris, Jack Dafis, Wil Bach. Pwtyn nerthol, bach i drontol, hir i gyrraedd, drwg i ymladd, stiwart bach y cwmni.
Llydaweg Leon	*Bis-meud* (bawd), *bis yod* (uwd), *bis kreis* (craidd - 'canol'), *bis ar walenn* (modrwy), *bis bihan* (bychan).

Llŷn

Awn i'r mynydd, meddai'r bawd
Be wnawn ni yn fanno? meddai bys yr uwd
Dwyn defaid, meddai'r canolfys
Be 'sa rhywun yn gweld ni? meddai'r cynhyrfys
Llechu dan lechan meddai'r hen fys bychan.

Llithfaen

Awn i'r mynydd, ebe'r fawd
I ba beth? ebe bys yr uwd.
I ddwyn fala, ebe hirfys.
Ble gawn guddio? ebe cwtfys.
O dan llechen, medda lleidr bach.

Llanwrtyd:

Feni feni,
Cefnder iddi,
Whidi dabwr,
Whidi grogwr,
Bys bach druan gŵr,
Yn llusgo drain ar hyd y dŵr.

Am y lluosog clywir *bysydd* yng Nghwm Tawe, ac yr wyf i wedi clywed *bysidd* yn y Gogledd. Ceir *byse'* yn Llambed.

Camfa, sticil (WVBD 236)

Gair y De yw *sticil* (ll. *sticle*) ond yng Nghwmllynfell, Cwm Nedd a Sgiwen yr ynganiad yw *sticill*. Digwydd yn yr enw lle Pontsticill. Ym Mhenfro cafwyd *stigil* (ll. *stigle*). Y lluosog ym Mrynaman yw *sticle*. O'r Hen Saesneg *stigel* (> *stile*) y daw. Diddorol nodi bod *Tafodiaith Rhan Isaf Dyffryn Llwchwr* (1958) yn nodi *canfa*, a *sticil* am gamfa heb ris, hynny yw, carreg wastad denau ar ei sefyll mewn wal (gydag efallai ond un gris bychan). Mae '*stile*' y Saesneg yn perthyn i'r gair '*stairs*' gan mai o'r gwreiddyn **(s)teigh-* 'mynd, codi' y deuant ill dau. Rhoddodd hwn hefyd y gair *taith* yn y Gymraeg.

Ffurf arferol y Gogledd yw *camfa* sy'n dod o *cam+ma*, sef lle i gamu dros wal. Y lluosog yw *camfâu* (Llithfaen) neu *camfeydd* (Arfon a Môn). Ym Môn a Bangor nodwyd *camdda* (WVBD) a chlywir hwn yn Llŷn hefyd. Dadfathiad sydd yma. Gan fod yr *m* a'r *f* yn cael eu hynganu yn agos iawn at ei gilydd yn y geg caiff un ei newid i fod yn sain sydd yn debyg ond eto ychydig yn wahanol, sef *camfa* > *camdda*. Yn Sir y Fflint gwelir dadfathiad arall o'r clwstwr cytseiniol, ond y tro hwn yr *m* sy'n newid gan roi *canfa*. Ceir datblygiad pellach yn Rhosllannerchrugog, lle bu dadfathiad o ran y llafariaid gan roi *confa* (-a-a > -o-a).

Carrots (LGW 356a)

Mae hwn yn un o'r geiriau hynny sy'n amrywio'n helaeth ar draws y wlad. Dyma, yn fras iawn, y sefyllfa a gafwyd hanner can mlynedd yn ôl yn y LGW. *Moron* yw'r ffurf arferol yn y Gogledd ac mewn ardal yng nghanol Morgannwg, (pobl o'r Gogledd?) gyda *caraints* ym Môn ac ardal Bangor. O Borthmadog i ogledd Ceredigion mae *llysie cochion* yn gyffredin yn ogystal. Ffurf arferol y De yw *caretsh* (ac ati), gyda *garetsh* yn arferol yng Nghwm Tawe ac i'r dwyrain. Nid wyf yn siŵr pam y bu i'r *c-* droi'n *g-* mewn rhan helaeth o dde'r wlad.

Mae'r sefyllfa heddiw yn ddigon tebyg, er ei bod yn ymddangos fel bod y gair *moron* yn ymestyn ei ddefnydd oherwydd bod pobol yn symud, a bod hwn (ar gam efallai) yn cael ei ystyried yn fwy Cymreig na ffurfiau sy'n amlwg yn deillio o *carrots*. Ai *moron* yw'r ffurf 'safonol' yn y cyfryngau? Fe'i nodwyd yng Ngheredigion ac yng Nghwmtwrch. Sylwer bod ffurfiau unigol fel *caratsian* yn cadw *s* y Saesneg, sy'n awgrymu mai yn y lluosog y mabwysiadwyd y gair, ac mai o hwn y lluniwyd ffurfiau unigol fel *caratsien*.

Mae *caraints* a *c(a)ratsian* yn parhau yn ddigon cadarn ym Môn. Ffurf heb yr *n* ymwthiol a geir yn Neganwy – *cratsien* a *caraits*. Yn Amlwch dywedir *coch cratsian* am y lliw oren, ac mae *torri'n gratsian* yn gyffredin yn y Gogledd am '*to snap*' (torri'n lân). *Torri fel moran* a ddywedir yn Llŷn. Nodwyd *carrot* ei hun yng Nghaernarfon. Mae *llysie coch* yn hysbys o ogledd Ceredigion i Drawsfynydd ond mae'n ildio'n gyflym i *moron*. *Llysyn coch* yw'r unigol yn Ardudwy. Yn Llŷn gelwir *pannas* yn *foron gwynion*.

Mae llawer o ffurfiau unigol, efallai oherwydd ein bod yn fwy tebygol o sôn am y llysiau hyn yn y lluosog e.e. *carotyn* (Blaenau Ffestiniog), *cretsien* (Rhos a Phonciau). Ceir *moronan* yn Llŷn, *moran* yn Eifionydd ac Arfon, a *moronen* yn Llansilin. *Moryn* yw'r gair o'r Bala i Benrhyndeudraeth i Ddolgellau a hyd at Fachynlleth, ond rhaid cofio mai ton fawr (digon i droi cwch) yw *moryn* yn Llŷn. Ceir *moronyn* (gwrywaidd) yn Nyffryn Banw, Dolgellau ac yn Nhrawsfynydd hefyd. *Carotsyn* a *carots* a nodwyd yn Nhregaron ac yn Sir Gâr, er bod yr hen do yn Nhregaron yn arfer dweud *garets* a *carotsen*.

Cafwyd y sylw canlynol gan diwtor Cymraeg o Gaerdydd: *Garetshen, garetsh* (dad, Sir Benfro/Sir Gâr); *carotsen, carots* (mam, Castell Nedd); *moronen, moron* (fi o flaen dosbarth). Fel y nodwyd, daw *caraits* a *garets* o'r Saesneg *carrots* sydd yn deillio o'r Ffrangeg (sydd yn ddatblygiad o'r iaith Ladin). O'r Lladin *carota* y daeth hwn, a hwnnw yn ei dro o'r gair Groeg *karoton*. Mae'n debyg bod hwn yn deillio o'r gwreiddyn PIE **ker-* 'corn', oherwydd bod y llysieuyn yn ymdebygu i gorn. Mae felly yn gytras gyda *corn* a *carw* y Gymraeg, a *horn* y Saesneg, heb sôn am *rhinoceros* a *triceratops* a *ceratin*.

Daw *moron* o Saesneg Canol *moren* 'gwreiddiau'. Rhyw lysiau digon di-liw oedden nhw yn yr Oesoedd Canol (edrychwch ar baentiadau o'r cyfnod), ond datblygwyd y rhai oren yn yr Iseldiroedd yn yr ail ganrif ar bymtheg fel teyrnged i William o Orange, arweinydd yr ymgyrch am annibyniaeth y taleithiau hynny, a'r gŵr a gofféir yn *The Orange Order*.

Cattle Grid

Cyfeiriodd un sylwebydd at y ffaith bod eisoes ambell gynnig: *alch wartheg/eilch gwartheg, bualch/bueilch, rhwyll wartheg/rhwyllau gwartheg, grid gwartheg/gridiau gwartheg*. Mae'n ymddangos mai'r olaf sydd ar lafar.

Cawod (WVBD 246)

Ym Mangor, ddechrau'r ganrif ddiwethaf nodwyd *cafod* a *cafodydd*, a thywydd *cafodog*. Enghraifft o *w* yn troi'n *f* sydd yma, rhywbeth sy'n digwydd yn achlysurol yn y Gymraeg.

Mae *cafod/cafodydd* yn gyffredin o hyd yn Arfon, Abergele a Rhos a Phonciau. Ond mae *cawod/cawodydd* hefyd yn gyffredin ledled y Gogledd (Môn, Corwen, Llŷn). Yn rhyfedd ddigon nodwyd *cafod* a *cawodydd* yn Llŷn a Dinbych. *Cawoda* yw'r lluosog a nodwyd o Lyn Ceiriog. Nid yw'r dystiolaeth yn ddigonol i ddod i gasgliadau pendant, ond byddwn i'n amau bod *cawod* > *cafod* wedi dod yn gyffredin ar hyd y gogledd pellaf, ond bod yr iaith lenyddol wedi gwanhau'r amrywiad. Sylwer ar *cafod* yn yr unigol, ond *cawodydd* yn y lluosog uchod. Efallai bod hyn oherwydd ein bod yn fwy tebygol o sôn am un gawod yn hytrach na'r lluosog a bod amlder y defnydd o *cafod* yn cadarnhau'r ffurf tra bod y lluosog anaml ei ddefnydd yn fwy tueddol o ddod dan ddylanwad yr iaith lenyddol. Clywir *sgrympie* yn achlysurol am gawodydd trwm dirybudd yn y Bala.

Mae'r sefyllfa yn y De yn ddiddorol. Nodwyd *cawod/cawodydd* yn Felin-fach a Chaerfyrddin. Ond yn Llanddewi Brefi cafwyd *cawad/cawodydd* (gyda rhai yn dweud *cawedydd*). Ceir *cawad/cawedydd* yng Nghlydau, yn Rhydaman ac ym Mlaenau Morgannwg, ond nodwyd bod *cawod* yn hysbys yng Nghlydau hefyd. Yng Nghapel Iwan nodwyd *cowed/cowedydd*, a *cowad* ym Metws Ifan. Cafwyd dileisio ym Morgannwg, sef *cawotydd* yn Ystalyfera. Nododd sawl un, yn y Gogledd a'r De, mai *cawod o law* a ddywedant bob tro. Mae rhai yn ymolchi yn y bore mewn *cawod*, ond *shower* a ddywed llawer.

Unwaith eto mae'n anodd bod yn sicr am y datblygiadau. Ffurfiau Cymraeg Canol yw *cawad*, y Gernyweg yw *cowas/cowes* a'r ffurf Lydaweg Canol yw *couhat*. Ni wyddom o ble daw'r gair hwn ond gellir tybio ar sail y ffurfiau hyn mai *cawad* oedd y ffurf Frythoneg. Y Gogs felly a newidiodd y llafariad olaf, efallai oherwydd yr ymgyfnewid cyffredin rhwng *wa* a *wo* yn y Gymraeg, neu efallai oherwydd osgoi cael dwy *a* yn yr un gair, fel gyda *dafad* > *dafod* ac *afal* > *afol* ym Môn. Sillafau diacen sydd wannaf eu hynganiad mewn ieithoedd, ac yn dueddol i dywyllu. Efallai i hyn wanychu'r *a* olaf. O ran ffurfiau'r De yr *y* yn *-ydd* sydd wedi tynnu'r *a* ati (affeithiad), felly *cawadydd* > *cawedydd*, fel *wal/welydd*. Dim ond ym Maenclochog y cafwyd *cawed*, ac efallai mai ôl-ffurfiad o'r lluosog yw hwn. Tybed pa effaith a gafodd pytiau'r Tywydd ar y radio a'r teledu. Mae i'r rhain statws.

Cenllysg, cesair (LGW 38, WVBD 252)

Y sefyllfa a nodwyd yn LGW oedd bod *cenllysg* yn y Gogledd, gyda *censyll(t)* yn digwydd o Rosllannerchrugog i ddwyrain Sir y Fflint. Yn y De cafwyd *ceser/cesair* gyda'r amrywiad *cesel/cesal* ym Morgannwg. Ymddengys bod y ffurf hon bellach wedi darfod o'r tir. Un peth diddorol yw bod *cenllys(g)* yn digwydd mewn tri lle yng nghanol y Cymoedd. Tybed ai dylanwad gogleddwyr a symudodd i'r meysydd glo sydd yma.

Mae rhaniad eithaf pendant yma o gwmpas Afon Dyfi gyda *cenllysg* i'r gogledd a *ceser* (cesair) i'r de, gyda phobol yng ngogledd eithaf Ceredigion yn aml yn gallu troi at y gair gogleddol pan fo angen. Nododd un iddo glywed *censyllt* yn y Gogledd-ddwyrain, a nodwyd mai *cinsyllt* yw yn Rhosllannerchrugog. Yr wyf innau wedi clywed *censlyg* yng Ngwalchmai ym Môn. a nododd rhai mai *cenllys* sydd ym Mlaenau Ffestiniog a Bethesda. *Cenllysg* a *censlys* a nodwyd ym Mangor gan mlynedd yn ôl. Ni wyddom beth yw tarddiad yr un o'r ddau air uchod.

Clothes-horse (WVBD 211)

Hors neu *hors ddillad* ydy'r gair yn y Gogledd, *hors* yn y De. Ym Mhorthaethwy *hors **ddillad*** ond ym Mhenllyn *hors **dillad*** sy'n ymddangos yn arferol, er bod cryn amrywio. Yn Nyffryn Banw cafwyd *morwyn ddillad* (rhoi'r dillad ar y forwyn erio o flaen y tân), sef cyfieithiad o '*maiden*' y Saesneg. Yno hefyd y cafwyd y *faud ddillad*, gair sy'n deillio o '*maid*'. Nodwyd *ceffyl dillad* yn Aberteifi, Sir Gâr a Sir Benfro. *(H)ors* *ddillad* i grasu dillad sydd yn y Rhondda. Ym Mhorthmadog cafwyd lluosog *horsys, hyrs* yn Nhrefor gydag un o Lanberis yn nodi mai *horsia* a ddywedai pe bai raid. I'r rhan fwyaf nid oedd lluosog gan mai un ar y mwyaf oedd gan bawb.

Clywed arogl

Nid *to hear* yw unig ystyr *clywed*, ond gall olygu *arogleuo* (*gwynto*) a hefyd *teimlo*. Ym Mrechfa gellir *clywed gwynt* (arogl) ac ym Mhencader gellir *clywed smel* (neu *smelo*) a gellir *clywed pryfyn yn cerdded lan braich*, sef ei deimlo. Felly hefyd ym Mlaenau Morgannwg yn enwedig yn y Rhigos, e.e. 'Wi'n i chlŵad i'n o'r iawn eddi' [wiːn i ˈχluˑäd in oːr jawn eˑði]. Yn y Gogledd-orllewin gellir *clŵad (h)ogla*, rhywbeth sy'n swnio'n ddieithr i bobl o'r Gogledd-ddwyrain. Gall olygu profi hefyd: *Clywed hi'n oer* yn y De, a *clwad hi'n boeth/oer* yn y Gogledd. Yn Rhosllannerchrugog nodwyd *gwintio*, gyda *gwynto* yng Nghaernarfon fel ag yn y De.

Klevet a ddywedir yn Llydaweg a *clewas* yn y Gernyweg. O'r gwreiddyn **kleu-* 'clywed' y daw hwn ac fe roddodd inni'r gair *clust* a'r gair *clod* hefyd. Mewn ieithoedd Germaneg (fel y Saesneg) trodd *k-* yn *ch-*, ac yna yn *h-* erbyn cyfnod Hen Saesneg. Y geiriau cytras yn yr iaith fain yw *listen* (< **hlustjan*) a *loud* (< **hlud-*). Fe'i gwelir hefyd yn yr Hen Almaeneg **Hlūda-wīgaz* 'enwog mewn brwydr' a hwn a roddodd Ludwig, ac yna Louis yn Ffrangeg. Mewn Groeg rhoddodd enwau fel *Heracles* (Hercules), *Democles, Pericles* ac ati. Yn yr ieithoedd Slafig trodd yr *c-* hwn yn *s-* ac fel hyn cafwyd yr elfen 'sl' yn Wence**sl**as 'mwy ei glod'. Mae'n bosib bod hwn i'w weld hefyd yn 'slav', gair a oedd efallai'n cyfeirio at gymuned o'r un iaith (a glywai ei gilydd?) ac a roddodd inni Slofenia a Slofacia. O hwn, yn y pen-draw, y daw'r gair Saesneg '*slave*', oherwydd mewn cyfnod cynnar Slafiaid oedd llawer o gaethweision gorllewin Ewrop. Pwy fyddai wedi meddwl bod *slafio* yn perthyn i *clust*. Gellir cymharu hyn â'r gair *Wealas* (Welsh) a allai hefyd olygu 'caethwas' mewn Hen Saesneg.

Cwch (WVBD 305)

Gwrywaidd yw *cwch* yn y rhan fwyaf o Gymru, ond nododd rhai o Flaenau Ffestiniog, Trawsfynydd a Phenrhyndeudraeth mai *y gwch* a ddywedir yno. Mae'n ymddangos ei fod yn fenywaidd yn achlysurol mor bell i'r gogledd â Llithfaen, a hyd yn oed gan rai ym Môn. Mae'n weddol sicr mai gwrywaidd oedd yn hanesyddol gan mai gwrywaidd yw'r gair cytras yn y

Llydaweg, sef *kouc'h*. Tybed pam y trodd yn fenywaidd yn y Gogledd gan fod *w* yn dueddol o awgrymu ffurf wrywaidd, fel *llwm* (*llom*), *trwm* (*trom*) *hwn* (*hon*). Efallai mai oherwydd dylanwad *llong* sydd yn fenywaidd y newidiodd. *Cychod* yw'r lluosog arferol ond mewn rhannau o'r De datblygodd yn *cwchod*. Yn Aberteifi cafwyd *cwche*, gydag ardaloedd ychydig i'r dwyrain ac mor bell â Chwm Tawe a Llangadog yn nodi *cwche* a *cychod*. Yn 'Gnafron' nodwyd *cwchs*.

Bad (o ffurf Hen Saesneg ar *boat*) yw'r unig air hysbys ym Mhontardulais a Chwm Gwendraeth a rhannau o Flaenau'r Cymoedd, a dim ond yn *bad achub* (*lifeboat*) y clywir hwnnw ar lafar yn y Gogledd. Mae rhai yn y Gogledd yn defnyddio *cwch* am rannau unigol oren, y '*segments*'. Mewn rhai ardaloedd bydd pobol yn ceisio *cadw'r cwch yn wastad*, tra mai *desgil* yw mewn ardaloedd eraill. Ym Moelfre (Môn) *y cwch gwyllt* yw'r *inshore lifeboat*. Yn y Gogledd byddwn yn *sbydu* (dihysbyddu) cwch pan fo gormod o ddŵr ynddo.

Mae'n debyg bod llawer ohonoch wedi pendroni pam bod gwenyn yn byw mewn *cwch*. Mae 'na gliw yn y gair cytras Llydaweg. Ystyr hwn yw'r '*hull*', y rhan allanol nid yr holl beth, a gellir tybio mai dyma oedd yr ystyr wreiddiol yn y Frythoneg. Mae'n bur debyg bod cysylltiad gyda'r gair Ffrangeg *coque* '*hull*' a *coquille* 'plisgyn', ond nid yw'r union berthynas yn eglur. Efallai mai o'r Gelteg a siaredid yno y daeth y gair Ffrangeg, ond nid yw hyn yn sicr.

Cŵn – enwau cŵn

Ceir nifer o enwau di-Gymraeg, ond mae llawer iawn o enwau Cymraeg newydd yn ogystal. Yr enwau Saesneg a gafwyd oedd: Barney, Bisto (gair tafodieithol Saesneg am gi bach), Blac, Bob (sawl un), Bobi, Broc, Cap, Castro, Don, Fidel, Ffan, Fflei (sawl un), Gabot, Gad (Gadaffi), Glen, Jac, Jaff, Jim, Jock, Jonti, Mac, Mic, Moss, Ned, Nic, Nip, Patch, Pepsi, Pete, Roy, Sam, Scot, Shep, Spot (ci traethydd nofel *Y Dreflan*), Tali, Tango, Ted, Tibi, Tobi, Tos.

O ran enwau Cymraeg traddodiadol cafwyd: Carlo (sawl un), Celt, Cymro (nifer), Gel a Gelert (llawer), Mot (cyffredin iawn), Now, Pero (cyffredin, o'r Sbaeneg *perro* 'ci'), Twm, Wil.

Cafwyd llawer o enwau sydd, hyd y gwn i, yn weddol newydd: Araul, Ben (Bendigeidfran), Blaidd, Brân (enw ci'r bardd I. D. Hooson, ar ôl Castell Dinas Brân), Brychyn, Bryn, Cai, Caio, Calon, Celt, Celyn, Cochyn,

Corwynt, Cyffro, Cyrnol, Deio, Fflach, Ffred, Gom (Gomer), Guto, Heini, Huddug, Huwcyn, Ianto, Llwyd, Llywelyn Ffyrnig, Llew, Mabon (enw chwedlonol a sant), Machno (cf Penmachno), Macsen (dylanwad Dafydd Iwan), Madog (tybed a oedd yn gi gwallgof), Mostyn, Parddu (lliw du debyg iawn), Palff, Pwdin, Rhacsyn, Siôn Blewyn Coch (llwynog *Llyfr Mawr y Plant*), Sionyn, Smotyn (llyfrau plant), Stwnsh, Sbot, Smwt, Taran, Tecs (Tecwyn), Tirion, Tomos, Triw, Troedwyn, Twm Glyn, Twpsyn, Waldo, Wmffre. Mabwysiadodd y Prif Weinidog, Boris Johnson, gi o Gymru a rhoddodd iddo enw Cymraeg ... Dilyn.

O ran enwau geist cafwyd y canlynol: Beca, Begw (Margaret), Beti Bwt (o'r hwiangerdd), Bitw, Biwt, Branwen, Cadi (Catrin), Cas, Cwali, Del, Eira, Ffando, Fflei, Fflos, Fflwffen, Ffran, Gwen, Gwenno, Jess, Jini, Lasi, Lass, Lili Mei, Lleucu, Mali, Martha (Martha drafferthus), Meg (nifer), Nanw, Peni, Pwtsen, Pwtsh, Queen (sawl un), Ros, Sali, Seren, Siân, Siani, Tanwen. Sylwer bod cryn nifer o'r rhain yn Gymraeg.

Yr oedd ambell enw digon creadigol hefyd: Bailey (roedd y perchennog yn yfed glasiad o Baileys pan ffoniodd y gwerthwr), Gari (ar ôl Yuri Gagarin), Dere (eitha cymysglyd wrth ddweud 'dere Dere' neu 'cer Dere'), Nedw (bachgen direidus yn y nofel o'r enw hwnnw), Nel (enwyd un oherwydd ei bod yn gwneud dŵr ar y carped gan ennyn y rheg *ffycin el*), Omo (wedi'i enwi ar ôl y powdwr golchi gwyn), Ringo (Starr), Scatter (ci defaid da i ddim), Tal (Taliesin, un o'r Cynfeirdd honedig), Trot (ar ôl Trots**ki**). Yng Nghapel Iwan yr oedd un o'r enw Taircoes.

Mae tarddiad y gair *ci* yn eithaf dyrys, ond nodaf yma ei fod yn gytras â '*hound*' yn Saesneg, ill dau yn tarddu o'r gwreiddyn PIE *k^{w}*on-*. Mae hwn i'w weld mewn llu o enwau Cymraeg megis Mael**gwn**, **Cyn**hafal, **Cyn**an ac ati. Fe'i ceir mewn nifer o eiriau o'r oesoedd canol fel ***cynllyfan*** 'tennyn ci' a ***cynllwst*** *'kennel'*. O'r Roeg, trwy'r Lladin, daeth *cynic*, oherwydd bod cysylltu'r ddysgeidiaeth athronyddol gyda bod fel ci. O'r Lladin daw *canine* a *kennel*. Felly hefyd enw'r aderyn *canary* sy'n dod o'r ynysoedd... Canary. Credid bod yno gŵn anferth, er ei bod yn fwy tebygol mai camddehongliad o enw Berber yw hyn mewn gwirionedd. Mae tarddiad *gast* yn anhysbys.

Cyllell, cyllyll (WVBD 316)

Mae'n ymddangos bod y newid *cyllell* > *cylleth* yn gyffredin iawn ledled Cymru, gyda'r lluosog *cyllyth* yn digwydd yn weddol aml hefyd. Yn wir, *cyllath* a *cyllith* a gofnodwyd ym Mangor ganrif yn ôl. Dadfathiad yw'r gair am y newid hwn, hynny yw pan fo'r un sain (neu ddwy sain debyg) yn digwydd ddwywaith yn agos i'w gilydd yr hyn sy'n digwydd yn aml yw newid un ohonynt ryw ychydig. Mewn rhai mannau mae dylanwad yr ysgol ac ati yn cryfhau'r ffurfiau hanesyddol *cyllell* a *cyllyll*. Nododd sawl un mai *cylleth* a ddywedent ar lafar ond eu bod yn dueddol o ddweud *cyllell* mewn sefyllfaoedd ffurfiol. Ond mae'n ymddangos mai newid anorffenedig yw hwn gyda chryn wamalu yn arferol, er enghraifft ceir *cyllell* a *cylleth* yng Nghwm Gwendraeth. Yn ddigon rhyfedd nodwyd tueddiad i gadw'r lluosog fel *cyllyll*. O'r atebion a gafwyd ymddengys bod Môn a Maldwyn yn geidwadol ac yn dueddol o gadw'r ynganiad *cyllell*. O Gaernarfon cafwyd yr amrywiad *cychach*! Yn Nolgellau, fel ag yn y Gogledd-orllewin oll, cawn *cyllath*, mae'r *a* > *e* yn y sillaf ar ôl yr acen yn digwydd yma hefyd. Mae rhywbeth tebyg iawn yn digwydd ym Morgannwg felly yno cafwyd *cillath*.

Yn y De cafwyd *cilleth* a *cyllell*, gyda *cillath* yn y Rhondda. Yn *cilleth* mae'r *y*-dywyll yn y sillaf gyntaf wedi troi'n *i*. Y lluosog yw *cillyll* a *cyllyll*. Nododd pobol o Lanybydder, Brynaman, Cwm Gwaun, Dyffryn Teifi mai *cyllell* oedd eu ffurf hwy. Ym Mhontyberem a Brynaman cafwyd y lluosog dwbl *cilleddi* gyda lleisio'r *th* yn *dd*. Efallai y teimlid bod yr unigol a'r lluosog (*cilleth* a *cillith*) yn swnio'n rhy debyg, felly ychwanegwyd terfyniad lluosog er mwyn gwneud y cyferbyniad yn fwy clir. Mae'n ymddangos bod *th* ar y diwedd yn fwy cyffredin yn yr unigol na'r lluosog h.y. *cylleth* ond *cyllyll*. Nododd un o Lambed bod *cyllell* a *cilleth* wedi datblygu ystyron gwahanol: *cyllell* am gyllell fawr ond *cilleth* am gyllell boced.

O'r gair Lladin *cultellus* y daw, a dyma a roddodd *cutlery, cutlass* a hefyd *couteau* yn Ffrangeg. Daw hwn yn ei dro o'r gwreiddyn PIE **(s)kel-1* 'torri' ac mae'n wreiddyn hynod o gynhyrchiol. Yn y Saesneg rhoddodd *shell, shelf, shield, shale, scale scalp* a *skull*. Benthycodd y Saesneg y geiriau *sk-* o'r Llychlyneg (ei chwaeriaith) a dyna hefyd yw achos parau fel *ship/skip(per)* a *shirt/ skirt*. O'r Lladin cafwyd *sculpture*. O'r amrywiad heb yr **s-* (**kel-*) cafwyd *half* yn Saesneg (**kel-* > **chel-* > *hel-*). Gair Cymraeg a ddaw o'r un gwreiddyn yw *hollt*, o **skol-tā*.

Cynrhon (LGW 179)

Dyma air sy'n amrywio'n fawr yn ei ynganiad ledled y wlad. Y nodweddion amlycaf yw cywasgu *cynrhonyn* yn *cynonyn* neu *cnonyn* yn y Gogledd-orllewin. Mae'r gytsain ymwthiol *th* wedi datblygu rhwng yr *n-r* mewn rhai ardaloedd gan roi *cynthron*. Gair torfol yw hwn, hynny yw mae'n cyfeirio at gasgliad o'r pryfaid gwynion hyn, a bu cryn dipyn o ailwampio arno. Mae'n debyg mai'r ffurf *cynrhon* yw'r ffurf wreiddiol. Un rheswm am hwn yw ei fod yn digwydd yn y Llydaweg hefyd, sef *kontronn*. At y bôn hwn ychwanegwyd y terfyniad unigol *-yn* a'r terfyniad lluosog *-od* gan roi *cynrhonyn* a *cynrhonod*. Teimlwyd ei fod yn ddiangen o hir felly fe'i cwtogwyd yn *cnonyn* a *cnonod*. Ar y llaw arall efallai mai lluosog bôn *cnonyn* ei hun yw *cnonod*.

Yn y Gogledd-orllewin *cnonyn, cnonod* a'r torfol *cynron* sy'n arferol. Sylwer bod y *rh* wedi dod yn *r*. Ym Môn, yn Sir Ddinbych ac ym Machynlleth ceir *cynthron* yn ogystal. Yn ne Sir Ddinbych cawn *cynthronyn*. Yn Eryri nodwyd *cynonyn*.

Yng Ngheredigion a Phenfro a Sir Gâr ceir *cynron* neu *cynrhon*. Cawn y ffurf unigol *cynrhonyn* ac yn Dre-fach Felindre cafwyd *cynrhonen,* ffurf fenywaidd. Ym Maenclochog ceir *cindronin* a *cindron,* lle mai *d* yn hytrach nag *th* yw'r sain ymwthiol. Sylwer hefyd bod yr *y*-dywyll yn y sillaf gyntaf wedi troi yn *i*. Yn Sir Gâr clywir hefyd *magots* gyda'r ffurf unigol *magotsen* ym Mhontardulais. Yng Nglyn Llwchwr *pryfedyn* sy'n amharu ar afalau a defaid.

Y ferf arferol yw *cynrhoni/cnoni* (Môn) a *cynthroni* mewn rhai ardaloedd eraill. Mewn cyswllt amaethyddol yng Nghlynnog byddai'r defaid yn *cynthroni,* a'r *cynthron* yw'r pryfaid chwythu yn 'mosod arnyn nhw. Yn Nwyfor clywir hefyd *pryfedu* am ddefaid sydd wedi *cynrhoni,* ffurf a glywir yn Sir Gâr yn ogystal. Yn y Gogledd dywedir am rywun aflonydd ei fod wedi *cnoni*: 'ti fatha cnonyn', 'ti rêl cnonyn'.

Roedd y sefyllfa ryw ganrif yn ôl (LGW) yn ddigon tebyg gydag amrywiadau ar *cynrhon* o'r Gogledd i Benfro, gyda *c(y)nonod* a *cynrhon* yn cyd-fyw yn Arfon. *Magots* a geid o orllewin Sir Gâr i Forgannwg gyda *pryfed* yn digwydd yma hefyd. Yng nghanol cymoedd y De cafwyd ynys o *cynrhon* hefyd, efallai ffurf a ddaeth o'r gorllewin gyda mewnfudwyr i'r meysydd glo, neu ffurf leol a oroesodd ymlediad *magots*.

Mae ei darddiad yn ansicr. Y ffurf mewn Hen Gernyweg oedd '*contronen*' a'r ffurf Hen Lydaweg oedd '*controunenn*'.

Cywen (WVBD 189)

Y cyfnod rhwng cyw ac iâr. Yn y De ceir *cŵen* a *cwennod. Wy cywen* yn Nhregaron am wy bach. Yn Llandybïe ceir y ffurf unigol *cwennen*. Yn y Gogledd *cywan/cŵan* yw'r unigol a *cwennod* fel lluosog fel ag yn y De. Yn Dre-fach Felindre gall *cywen* gyfeirio hefyd at ferch fach hardd.

Dangos

Mae eisoes yn hysbys i ieithwyr bod Gogs yn dweud *dangos* a Hwntws yn dweud *dang-gos*. Yr Hwntws piau hi o ran yr ynganiad mwyaf ceidwadol gan mai cyfansawdd o rywbeth fel *dann+cos* yw, ac felly treiglai'r *cos* yn *gos*. Beth bynnag am hynny, ymddengys bod ambell i amrywiad tafodieithol ychwanegol gyda *danos* yn Rhuthun a'r *dyng-gos* disgwyliedig yn Rhydaman a Glyn Llwchwr. Nid y gair *cosi* (goglais) sydd yma ond mae'n debyg mai *cos* arall yw sy'n golygu 'siarad', ac sy'n deillio o **kons-* (amrywiad ar **kens-*). Mae'n bosib bod y gair hwn i'w weld yn enw'r broffwydes Groeg *Kassandrā*. Gwelir y gwreiddyn hefyd mewn geiriau Saesneg o darddiad Lladin fel *censor, census* a *recension.*

Dihuno, deffro

Dihuno yw gair arferol y De, ond *deffro* yn y Gogledd ac yng ngogledd Ceredigion. Yn LGW nodwyd bod pobl ifainc rhai ardaloedd ger Aberystwyth yn dechrau dweud *deffro* hefyd. Yr ynganiad arferol yw *dino* gyda chywasgu sylweddol, sy'n cael ei rwyddhau gan wendid yr *h* yn llawer o dafodieithoedd y De a'r ffaith bod yr *u* wedi troi'n *i* gan roi *di-hino*. Erbyn heddiw ymddengys bod llawer o'r to iau wedi cael eu dylanwadu gan y Saesneg ac yn dweud *dino lan* '*wake up*' (un o ganeuon cynnar Meic Stevens oedd '*Di'nwch lan*').

Mae'r gair Llydaweg *dihuniñ* yn awgrymu mai hwn oedd y gair Brythoneg gwreiddiol. Cyfansoddair yw wedi ei ffurfio o *di-+huno*, wrth gwrs. Mae *huno* yn gytras â'r Lladin *somnus* a *sopor* (< **swep-*) a roddodd y geiriau Saesneg *insom**nia*** a ***sopor**ific*. Hwn hefyd sydd wrth wraidd y gair ***hyp**nosis*, o'r Roeg. Trôdd bron pob *s-* yn *h-* yn y Frythoneg a dyma sut y cawn Hafren ond Severn (< Sabrinā) yn Saesneg. Digwyddodd hyn yn Roeg hefyd.

Yn *deffro* gwelwn yr un elfen ag yn *cyffro* (*cy-+ffro(g)*) a daw hwn o **sprog-*, sy'n deillio o'r gwreiddyn **sper-* 'jerk, scatter'. Gwelwn hwn yn *sprinkle, sprawl, spread, sprout* a (heb yr *s-*) yn *freckle-*. Mae'r *s-*

ddechreuol yn mynd ac yn dod yn yr Indo-Ewropeg, a'i enw yw '*s*-mobile'. *Freckle* yw'r hyn sydd britho'r croen. O'r Roeg cafwyd *diaspora*. Nid di-huno oedd ystyr wreiddiol *deffro* felly ond rhwybeth yn debycach i *gyffroi*. Gellid tybio felly i *di-huno* fod ar lafar yn y Gogledd hefyd.

Dincod – *pips* (WVBD 90)

Nodwyd *dincod* yn ardal Bangor ganrif yn ôl (WVBD), ond dim ond yng Ngwalchmai y nodwyd ei fod yn fyw hyd heddiw. Hyd y gwn i mae'r gair Saesneg *pips* yn gyffredin ledled Cymru er i un nodi mai *cerrig* a ddywedir yn Nyffryn Aman. Yn y Gogledd defnyddir *cerrig* ar gyfer y rhai mwy fel y rheiny sydd mewn eirin. *Hadau afal* a gafwyd yn Nwyfor. Ym Môn cafwyd y sylw: 'dincod i mi yw'r gair yn yr ymadrodd 'codi dincod', sef y teimlad annifyr mae rhywun yn ei gael, fel cryndod, pan yn clywed sŵn megis rhywbeth yn crafu gwydr, sialc yn crafu bwrdd-du, cnoi ffunen boced, ac ati.' Ceir rhywbeth tebyg yn Nhregaron, y 'teimlad garw ar y dannedd o fwyta lemon'. Felly hefyd yn y Gogledd-orllewin lle dywedir 'mae o'n codi dincod arna' i' am y blas sur sy'n gwneud i'r dannedd deimlo'n arw. Tybed i ba raddau y bu i'r Beibl 'Ar ddannedd plant y mae dincod' gynorthwyo i ddiogelu neu ledaenu'r gair.

Mae'n weddol amlwg mai *daint* (dant) yw'r elfen gyntaf, ond nid yw'n sicr beth yw'r *cod*.

Dreifio, gyrru

Yr oeddwn i mewn tacsi yn 'Gnarfon' (Caernarfon) tua 1985 ar fy ffordd un hwyrnos i yfed peintyn neu ddau o gwmpas pybs Dre ac, er mawr syndod i'm cyfaill oedd gyda mi, holodd y dreifar oedd hi'n iawn iddo yrru. Yn y Gogledd-orllewin mae 'na wahaniaeth rhwng *dreifio* a *gyrru*. *Dreifio* car fydd pobol ond mae *gyrru* yn golygu dreifio'n gyflym. Holwyd am eiriau'r Cymry am hyn o beth a daeth yr atebion canlynol, llawer ohonynt yn deillio o'r Saesneg. Mae 'gyrru fel cath i gythraul' a 'gyrru fel Jehu' yn hysbys yn y De a'r Gogledd. *Coedio* yn y Gogledd a *coedo* yn y De. Nodwyd 'yn ôl ffarmwr mae'n dod o'r adeg pan oedd pobl yn defnyddio ceffyl i deithio, ac yn bwrw'r ceffyl druan gyda darn o goed i fynd yn gynt'.

Gogledd: *bomio, sbîdio; bomio/bomio'i, contio mynd, dyrnu mynd, peltio/peltio mynd/peltio'i (yn ei pheltio hi), ei gwasgu hi, troedio'i (ei throedio hi), tanio'i (ei thanio hi), chwipio'i (ei chwipio hi), bordio'i (ei bordio hi), hamro'i; hemio/hemio'i, shifftio* (Trawsfynydd), *hercio* (Corwen), *rhoi tân arni, rhoi ei droed i lawr* (Eryri).

De: *Spîdo, raspo, tanco, hemo, pelto, shiffto, hemro, 'astu, raso, 'edfan; gwibio* (Penfro), *mynd fel y diawl, mynd fel y meil* (*'Mail'* – y goets fawr; Glyn Llwchwr), *mynd fel cutter, mynd fel y boi/yr yffarn/y jawl/llucheden* (Dyffryn Aman), *mynd fel bom/ffwl pelt. Dreifo fel hyrcall* (hanner call; Capel Iwan); *mynd fel ceit* (Penfro).

Dummy

Amrywiadau ar y Saesneg *dummy* sydd fwyaf cyffredin (Llanddewi Brefi, Treletert, Dyffryn Aman, Trawsfynydd, Meirionnydd, Eryri, Aberdaron, Corwen, Bangor). Yr unig air brodorol a nodwyd oedd *tethan lwgu* ym Môn ac Arfon. Yn y De cafwyd *diti* (Capel Iwan, Tregaron), *dwsi* (Eglwyswrw), *dwt* (Cross Hands, Penfro). Yn y Gogledd cafwyd *dit* (Sir Drefaldwyn), *dwm-dwms* (Arfon, Harlech), *dwmi-dwm* (Tregarth), *dwndwns* (Eryri), *dym-dyms* (Glyn Ceiriog), *nwni* (Llŷn), *nwn-nwns* (Meirionnydd), *tidi* (Rhosllannerchrugog), *tut* (Rhos a Phonciau). Nodwyd *cetyn* ymysg pobol iau Arfon.

Dweud

Dweud yw'r ffurf safonol bellach ond daw hwn o *dywedyd* (*dy-+gwed+-wyd*). Daeth *dywedyd* yn *dweud*. Ffurf arferol y De yw *gweid* (gweud) ac mae'n debyg bod hwn yn deillio o *gwedyd*. Y Gogs felly sydd wedi ychwanegu *dy-* i'r bôn **gwed*. Yn y Rhondda yr ynganiad yw *gwêd*. Daw hwn o'r gwreiddyn **wed-* 'siarad' ac mae hwn i'w weld mewn nifer o eiriau o darddiad Groeg hefyd: *ode, par**od**y, mel**od**y, com**ed**y, trag**ed**y* ac ati.

Efwr – *cow-parsnip, hogweed*

Nodwyd *ewr* yn ardal Bangor ym 1911 (WVBD), a cheir yr amrywiad *ewryd* ym Môn ac *efor* yng Nglyn Llwchwr. *Cnau daear* ym Methesda gan fod y gwreiddyn yn fwytadwy. *Blodyn crach/crachan* neu *crachod* yw ym Môn, efallai oherwydd y gall losgi'r croen. *Cecs* yn ardal Clynnog ond mae cryn ansicrwydd oherwydd y tebygrwydd rhyngddo ac ambell i blanhigyn arall.

Yn Llydaweg Plougerne *pempis* yw, a thybiaf fod hwn yn dod o *pemp+biz* (pump bys). Gwelir *efwr* yn Dinefwr ac efallai yn yr enw Caerefrog, a ddaw o **Eburācon*, ac a roddodd York ar ôl ei ystumio gan Hen Saesneg a Llychlyneg. Gellid honni felly bod gwreiddiau Cymraeg i'r enw New York! Ymddengys mai ystyr y gwreiddyn,**eburo-*, oedd 'ywen' ond mae cryn dipyn o ansicrwydd ynghylch tarddiad y gair hwn.

***Fox* – cadno, llwynog** (LGW 173, WVBD 355)
Mae'n siŵr mai dyma un o'r geiriau sy'n emblematig o'r gwahaniaeth rhwng tafodiaith y Gogs a'r Hwntws, ond nid yw'r un o'r ddau enw uchod yn hen iawn, ac nid yw'r sefyllfa mor ddu a gwyn ag y tyb rhai. **Llywern* oedd y gair hŷn, ac mae'n fyw o hyd yn y Llydaweg fel *louarn*. Dim ond y ffurf luosog *llewyrn* a geir ar glawr mewn Hen Gymraeg a Chymraeg Canol, er ei fod i'w weld mewn enwau lleoedd fel Blaen Llewyrn (Sir Drefaldwyn) a hefyd Llywernog. Yn ôl GPC parhaodd y gair hwn hefyd yn *tân llewyrn* sef '*will-o-the-wisp*'. Mae'n digwydd hefyd fel enw personol yng Ngâl bron i ddwy fil o flynyddoedd yn ôl – *Louernacius, Louernius*. Diolch i *Lyfr Mawr y Plant* mae enw Siôn Blewyn Coch yn gyfarwydd dros y wlad, ac mae'r cyfryngau a theithio ac athrawon o bell wedi lledu ymwybyddiaeth o *llwynog* i'r De.

Yn ôl LGW mae *llwynog* yn gyffredin i'r gogledd o afon Rheidol ac mewn rhannau o'r De yn enwedig ym Morgannwg. Tybed ai mewnfudwyr o'r gogledd a ddaeth â'r gair yma. Yn Sir Frycheiniog fe'i nodwyd fel gair plant, ac efallai mai dylanwad llyfrau sy'n gyfrifol am hyn, mewn ardal lle'r oedd y Gymraeg yn gwanhau. Un peth diddorol yw bod *cadno* i'w glywed yn Nyffryn Conwy a Hiraethog a hefyd yn Sir Drefaldwyn, a hyd yn oed ym Môn. Yn Eifionydd nodwyd bod *cadno* a *llwynog* ar lafar ond bod *cadno* yn air 'mwy annwyl'. Mae *cadno* hefyd yn hysbys i rai yn Llŷn. Yn y Gogledd ceir y ffurf fenywaidd *y lwynogas* (gyda threiglo).

O ran yr atebion a gafwyd yn y grŵp, *cadno* yw'r ffurf arferol yn y De, a *cadnoid* yw'r lluosog, gyda *cadnoiod* yn Nhyddewi. *Cadnoi* a nodwyd yn Llangennech a Chwm-gors. Yng ngogledd a gorllewin Morgannwg clywir *canddo*, ffurf gyda thrawsosodiad a *d* > *dd*, a'r lluosog *canddoid*. Mae'n debyg bod y ffurf *cedny* ar lafar ar un adeg ac mai hwn sydd i'w weld fel enw carn o'r Oes Efydd yn Rhandirmwyn, Sir Gâr o'r enw Cerrig Cedny. Ymddengys bod y ffurf *canddo* yn colli tir i *cadno*, yn ardal Resolfen o leiaf.

Ym Mhenderyn cafwyd *madyn*, a *maden* am yr ast. Yn rhyfedd ddigon ceir *madyn* yn Nyffryn Ogwen hefyd ac yn Nyffryn Conwy. Efallai mai ffurf anwes o'r enw personol fel *Madog* yw, neu efallai mai *mad* (da, ffortunus) fel yn 'gwladgarwyr tra mad', sydd yma. Hynny yw, câi'r creadur cyfrwys hwn ei alw wrth enw oedd yn weddol groes i'r hyn y teimlai pobol amdano mewn gwirionedd. Ceir *tywydd cadno* i ddisgrifio tywydd sy'n dwyllodrus ac yn newid o fod yn braf heb rybudd. Digwydd *cadnaw* yn y

Testament Newydd a chofier ei fod yn digwydd yn y gerdd *Cwm Pennant* gan Eifion Wyn. Wn i ddim a yw'r gerdd hon yn adlewyrchu Cymraeg Eifionydd ynteu a gyflwynodd y gerdd ei hun y gair i'r Gogs:

> Yng nghesail y moelydd unig,
> Cwm tecaf y cymoedd yw –
> Cynefin y carlwm a'r cadno
> A hendref yr hebog a'i ryw.

Yn y Gogledd y ffurf gyffredin yw *llwynog* (ll. *-od*), sef un sy'n llechu mewn llwyn. Mae'r gair hwn yn ymestyn i lawr i Fwstryd (Bowstreet) ger Aberystwyth. Hon yw'r ffurf a geir o'r Wladfa ym Mhatagonia, er bod y trefedigaethwyr wedi dod o nifer helaeth o ardaloedd yng Nghymru. *Cysgu llwynog* a ddywedir am rywun, plentyn yn aml, sy'n smalio neu'n ffugio cysgu. Dywedir *hen lwynog* am rywun slei, a cheir *haul llwynog* – 'hen haul llwynog ydi o, fe gei di annwyd' (Stiniog). Mae *cena* a *cnawon* (a *cnafon*) yn gyfarwydd yn y Gogledd am y rhai bychain. Yn ardal Bangor nodwyd *cywion llwynog* a *diwrnod llwynog* am ddiwrnod braf sy'n troi'n lawog.

Rhywbeth sy'n digwydd yn gyffredin mewn ieithoedd yw bod rhai pethau y mae gennym berthynas anghyfforddus â nhw yn cael eu disodli, er mwyn osgoi'r teimlad annifyr o gyfeirio atynt yn uniongyrchol. Er enghraifft *y coch* a ddywed helwyr Gwalchmai pan fyddant yn mynd i *lwynoga*. *Taboo replacement* yw'r term am hyn ac mae'n gyffredin gydag enwau rhai anifeiliaid, a phethau sy'n cael eu hystyried yn afiach yn ogystal.

Enw personol yn wreiddiol oedd *Cadno* sy'n cynnwys *cad* (brwydr) a *gno* (cyfarwydd) a gwelir yr elfennau hyn mewn enwau fel ***Cad**waladr*, a *Tud**no*** neu *Beu**no***. Ni wyddom paham yn union y dewiswyd yr enw personol hwn ond, gellid dyfalu bod stori goll efallai am *lywern* o'r enw hwn. Meddyliwch am Siôn Blewyn Coch, neu *renard* yn Ffrangeg sydd hefyd yn deillio o enw personol. Yn wir disodlodd *renard* y gair cynharach *goupil* tua'r drydedd ganrif ar ddeg oherwydd poblogrwydd y rhamant *Roman de Renart* (NDEH). Y gair Sbaeneg yw *zorro* ac o'r anifail hwn y cafodd yr arwr teledu ei enw. O'r gair Basgeg *azaria* y daw. Mae'n debyg mai o air sy'n golygu *cynffon* y daw *fox*, ac mae ieithwyr yn cymharu hwn â'r gair Rwsieg *pukh* sy'n golygu 'blew mân' (ODEE).

Mewn *ffau* (ll. *ffeuau*) maen nhw'n byw ym Meirionnydd a Dyffryn Conwy ond mewn *daear* yng Nglyn Ceiriog er bod dipyn o wamalu ynghylch hyn. Mewn *gwâl* bydd cadnoid Dyffryn Aman yn byw ond mewn *twll* yng Ngheredigion. Mae'r gair Saesneg *den* i'w glywed hefyd yma ac acw.

Furrow etc.

Cwys (ll. *cwysi*) sy'n arferol yn y Gogledd ond yn y De nodwyd mai *rhych* (ll. *rhyche*) sydd ar lafar. Ychwanegwyd mai *rhych* a geir mewn gardd, ond *cwys* mewn cae wedi ei aredig (Dre-fach Felindre). Nodwyd mai'r ynganiad mewn rhai rhannau o'r De yw *rych/ryche* – ardal ddi-*h* yw Morgannwg a'r cyffiniau.

Nodwyd y canlynol am Feirionnydd. 'Rhych – y rhan ddofn. Pen y dalar ydi gorffeniad y rhych fel petai pan fydd y ffarmwr wedi cyrraedd mor agos i'r gwrych/wal ag sy'n bosib. Rhych ydi'r ffos i blannu tatws. Agor cwys ydi agor cae ac aredig. Aradr dwygwys – torri dau led o dir i aredig, aradr teircwys – torri tri lled ac yn y blaen i fyny i 10/12 lled.' Mae tarddiad *cwys* yn anhysbys, ac nid yw'n digwydd yn yr ieithoedd Celtaidd eraill.

Daw'r Saesneg *furrow* o Hen Saesneg *furh*, ac mae hwn yn gytras â'r gair Celtaidd cynnar **frik(k)ā* a roddodd *rhych* inni. Trodd pob *p* IE yn *f* mewn Germaneg (cyfraith Grimm) ac fe'i collwyd yn gyfan gwbl o'r ieithoedd Celtaidd. Dyma pam y cawn barau fel *free* yn Saesneg ond *rhydd* yn y Gymraeg, neu *ford/rhyd*.

Ffêr, migwrn – *ankle*

Ffêr yw'r ffurf yn y Gogledd oll, ar wahân i ardal Machynlleth sy'n dweud *pigwrn* neu *bigwrn* fel y De. Yn Aberystwyth cafwyd yr ynganiad *migwrn*. Yn y Gogledd *knuckles* yw ystyr *migwrn*. Mae cyfnewid rhwng *m-* a *b-* yn ddigon cyffredin yn y Gymraeg yn bennaf oherwydd bod y ddau yn treiglo i *f-*, a hefyd oherwydd bod *b-* yn treiglo'n *m-*. Yr un *-wrn* sydd yma ag yn *asgwrn*. *Swrn* yw'r gair yn y Cymoedd.

Am '*twisted ankle*' clywir 'wi wedi shico'n swrn' yn y Cymoedd. Yn Nyffryn Aman byddai chwaraewr rygbi yn *troi* neu'n *shigo'i bigwrn*. Yng Nghwm Gwendraeth *troi'i thrôd* y byddai rhedwraig. Clywyd Gareth Edwards, y chwaraewr rygbi enwog o'r 70au, yn dweud 'Dwistes i'n ancl yn y ffyrst 'aff.' Ym Mhontyberem nodwyd *shigamu* a *troi sowdwl*.

Troi ffêr a wneir yn y Gogledd neu *troi troed*. Ym Mhrestatyn dywedir *sigo'n ffêr* neu *wedi troi 'nhroed*. *Troi bigwrn* ym Machynlleth. Gwaetha'r modd clywyd hefyd *twisdio'i ffêr/troed* a hyd yn oed *twisdio angcl hi.*

Mae *ffêr* yn deillio o air PIE fel *$sperh_1$-*, sy'n golygu 'ffêr' neu 'gicio'. Rhoddodd hwn *spurn* yn Saesneg a *spernere* 'gwrthod' yn Lladin. Er ein bod yn gwybod mai Celteg yn ôl pob tebyg yw'r *-wrn* yn *migwrn* nid ydym yn sicr am darddiad *mig-*. Ni wyddys beth yw tarddiad *swrn*, a dim ond yn y 15fed ganrif y caiff ei nodi am y tro cyntaf.

Fforc, ffyrc(s)

Holwyd am luosog *fforc*. Y ffurf safonol yw *ffyrc* ond yr unig luosog a nodwyd yn ardal Bangor ganrif yn ôl oedd *ffyrcs*. Lluosog dwbl yw, gyda'r terfyniad lluosog Saesneg yn ychwanegol i'r lluosog brodorol (newid y llafariad, *o* > *y*). Cafwyd *ffyrcs* yn Nyffryn Aman a Llangeler, Maenclochog, Tregaron ac i'r de o Gastellnewydd Emlyn. Digwydd y ddau yng Ngwynedd, ond nid yw'r patrwm yn glir, ac ymddengys eu bod yn cyd-fyw mewn sawl ardal. Nid yw *ffyrcs* yn wybyddus yng Nglyn Ceiriog. Nodwyd na byddid yn defnyddio'r lluosog dwbl yn yr ymadrodd *cyllyll* a *ffyrc*, ar wahân i *cyllill* a *ffyrcs* ym Mrynaman – ond nodwyd bod hyn ar drai ymysg y to ifanc. Yn Nolgellau a Sir Ddinbych cafwyd y ffurf unigol *fforcen*.

Benthyciad o'r Saesneg yw *fforc* wrth gwrs ac mae hwn yn ei dro yn deillio o'r Lladin *furca*. Fil a hanner o flynyddoedd yn ôl cyn dyfod o'r Saeson i'r ynys hon mabwysiadodd holl Rufeiniaid Prydain y Frythoneg leol gan ei newid hi'n sylweddol. Dyna yw'r Gymraeg. Un o'r geiriau Lladin a oroesodd y newid iaith hwn oedd *furca*, a ddatblygodd yn *fforch* yn y Gymraeg, a hefyd *ffwrch*. Mae'r gair Lladin hwn i'w weld yn y Saesneg *bifurcate*.

Ffos

Yr ynganiad cyffredin ym Môn a rhannau o Eryri (Pentrefoelas) yw *ffoes*, ond wn i ddim paham y newidiodd fel hyn. Yr unig air arall sy'n newid felly, hyd y gwn i, yw *ôl* yn troi'n *hoel*. Yn Nhyddewi ceir *ffŵes*. Tybed ai gorgywiriad yw hwn ar batrwm *coed* > *côd* > *cŵed*.

O'r Lladin *fossa* y daw ein gair Cymraeg ni. Daw hwn o'r gwreiddyn *$b^h ed^h$-* sy'n golygu 'tyllu', ac o hwn y daeth y gair *bedd*, a hefyd y Saesneg *bed* (gwely). Digwydd hefyd mewn enwau yn Ffrainc o dras Geltaidd : Le Bé (Vienne) a Le Biez (Pas-de-Calais). O'r Lladin hefyd y daeth *ffosil*, sef rhywbeth sy'n cael ei godi o dwll. Mae hefyd i'w weld yn *The Fosse Way* – un o bedair prif ffordd Prydain Rufeinig, a enwyd ar ôl y ddwy ffos ddofn y naill ochr iddi.

Gan

Y ffurfiau ym Môn a Llŷn yw: *ma gin i, ma gin ti, ma gynno fo, ma gynni hi, ma gynnon ni, ma gynnoch chi, ma gynnyn n(h)w*. Ond nodwyd hefyd bod *gynno* ar lafar ar gyfer pob person e.e. *ma gynno fi, ma gynno hi*. Byddwn i'n amau bod hyn yn ddatblygiad cymharol ddiweddar. Mae'n gyffredin iawn newid pethau i gydymffurfio â'r trydydd person unigol, gan mai hwn yw'r ffurf a ddefnyddir fwyaf aml. Yn Rhos a Phonciau cafwyd: *gynai, gynti, gynyfo, gyni, gynyni, gynychi, gynynw*. Ar gyfer y gorffennol cafwyd *ogynai, ogynti* etc. 'yr oedd gennyf'. Ym Mhenrhyndeudraeth nodwyd *ma gyna i, ma gynach chdi, ma gyny fo, ma gyni hi, ma gynon ni, ma gynoch chi, ma gynyn nhw*. Yng Nghoed-llai (Sir y Fflint) nodwyd *ma' fi gyn, ma' ti gyn, maw gyn, mai gyn, ma' ni gyn/(dech) chi gyn, ma' nw gyn*. Yr oedd Sir y Fflint yn enwog rai degawdau yn ôl am ei *fi gyn*, ond efallai bod hwn yn ildio i ffurfiau'r Gogledd-orllewin wrth i'r dafodiaith leol edwino ac wrth i lawer o siaradwyr Cymraeg symud i fyw i leoedd fel yr Wyddgrug. Yn ardal Wrecsam/Llangollen nodwyd *dwi gen, ti gen, mae o gen, ma hi gen, den ni gen, dech chi gen, ma nw gen*. Yn y saithdegau hwyr, recordiodd un arbenigwr siaradwyr hŷn yn dweud *gen i* yn gwbl naturiol yng ngogledd-orllewin Sir Gâr (Cwm-ann, Pencarreg ac Esgairdawe). Ymysg y to ifanc yn y Gogledd-orllewin gellir clywed *dwi hefo*. Mae pethau'n symlach yn y De: *ma (mae) 'dyfi, ma 'dyti, ma 'dyfe, ma 'da'i, ma 'dyni, ma 'dychi, ma 'dyn'w* (Tŷ-croes, Sir Gâr).

Mae ffurfiau safonol y Llydaweg a'r Gernyweg yn ddigon tebyg ond yma nid meddiant parhaol y maent yn ei gyfleu, ond yn hytrach bod rhywbeth gennych ar y pryd, dros dro. Fel hyn oedd y sefyllfa yn Gymraeg hefyd. O ran tarddiad gwyddom mai'r ffurf mewn Hen Gymraeg oedd *cant* sy'n deillio o'r gair **km̥ta*, ac mae'r rhan gyntaf yn perthyn i **kom* 'gyda'. Rydych chi'n hen gyfarwydd â'r gair hwn mewn geiriau o darddiad Lladin fel *comrade, company, companion*. Rhoddodd y **kom* hwn *cy(f)-* yn y Gymraeg fel ag yn *cyfnod, cyfres*, Cymru, Cumbria ac ati. Gwelir y cytras Groeg yn *koine*, a ddefnyddir am iaith safonol gyffredin.

Y ffordd o ddynodi meddiant parhaol yn y Frythoneg oedd gyda'r gair *oes*. Dywedid rhywbeth fel *gwin a'm oes*, neu *amser a'm oedd*. Bydd y rheini ohonoch sy'n gyfarwydd â *Chanu Llywarch Hen* eisoes yn gyfarwydd â hyn. Dyma sydd yn y Llydaweg hyd heddiw, iaith sydd wedi cadw'r hen drefn yn well na'r Gymraeg: *gwin am eus, amzer am oa*.

Gatepost

Blaenbost a *bonbost* a ddywedir yn Hiraethog. Yr ail yw'r un lle croga'r giât. *Cilbost* yw hwnnw ym Môn.

Gellyg

Dyma un o'r geiriau mwyaf dyrys i'w drafod yn bennaf oherwydd y gorgyffwrdd rhwng *gellygen* a *pêr*. Mae sawl ardal yn gymysg ac mae amrywiadau ar y ffurfiau unigol a lluosog. Ceisiaf wneud rhyw synnwyr o'r blerwch tafodieithol. Ar ben hyn oll ceir y gair *r(h)wnin* mewn rhai ardaloedd.

Yn y De ceir amrywio helaeth rhwng *persen* a *peren* ac ni lwyddais i weld unrhyw batrwm pendant yma. Y lluosog a nodwyd yw *pèrs* (gydag *e* fer).

Rhwng Rhosllannerchrugog, Llangollen, Penllyn a Maldwyn y ffurf arferol yw *r(h)wnin*. Nid yw tarddiad hwn yn hysbys, ond dim ond yn yr unfed ar ganrif ar bymtheg y'i gwelir wedi'i ysgrifennu yn y Gymraeg, felly gellir tybio mai o'r Saesneg y daeth. Mae GEM yn nodi mai o'r Saesneg '*grounding*' y daw ond nid wyf wedi llwyddo i gael gwybodaeth bellach am y gair hwn.

Yn y Gogledd-orllewin mae *peran* a'r lluosog *pêrs* yn digwydd yn eang iawn. Mae yma anhawster oherwydd benthycodd y Frythoneg y gair *pêr* o'r Lladin ryw fil a hanner o flynyddoedd yn ôl pan oedd y Rhufeiniaid a'r Brythoniaid yn cymysgu'n eang yn yr Ymerodraeth Rufeinig. Mae i'w weld yn y gair *perllan*. *Perenn* yw'r gair yn Llydaweg. Ond mae'n ymddangos ein bod wedi benthyg y gair eto o'r Saesneg *pear* (hefyd o'r Lladin yn y pen draw) felly fyddwn i ddim ar hyn o bryd yn mentro deddfu pa un o'r rhain sydd wrth wraidd y ffurfiau modern.

Gair arall a fabwysiadwyd o'r Lladin yn yr un cyfnod yw *gellyg*. Daw hwn o'r gair Lladin *gallicī*, sef y ffrwythau o dir Gâl (Ffrainc, gogledd yr Eidal a rhan helaeth o'r tiroedd i'r dwyrain yn bennaf). Erbyn hyn mae'r gair wedi datblygu *r* ymwthiol mewn llawer o ardaloedd gan roi *gerllyg*. Mewn Cymraeg Canol byddai *y* ac *e* weithiau yn ymgyfnewid yn y sillaf ar ôl yr acen e.e. *edrych*/*edrech* (> *edrach*). Dichon mai hyn sy'n cyfri am *ge(r)llyg* > *ge(r)lleg* > *ga(r)llag* mewn rhai ardaloedd yn y Gogledd-orllewin. Yn Arfon mae *garllag* a *pêrs* i'w clywed ill dau. Yr unigol yw *gellygen* (*-an* yn y Gogledd-orllewin) gyda *'llygan* yn Amlwch. Nodwyd bod *gerllyg* yn disodli *pêrs* yn Eifionydd, efallai oherwydd ei fod yn Gymreiciach, ond nodwyd hefyd bod *gellyg* yn ildio i *peran* yn Arfon, dan ddylanwad y Saesneg! Nodwyd *gerllyg* a *cellygen* yn y De ond byddai angen cadarnhau nad dylanwad yr iaith safonol sydd yma. Mae *garllag* y Gogledd-orllewin wrth gwrs yn union fel y gair llafar am *garlic*. Heb sôn am y perygl o ddifetha ambell i *apple crumble* mae'r math yma o wrthdaro seinegol (*homophonic clash*) yn gallu peri ymwrthod ag un o'r geiriau.

Geneth, merch etc. (LGW 478a)

Fel y nododd Fynes-Clinton ganrif yn ôl yr oedd y Gymraeg eisoes yn dechrau colli'r cyfoeth o eiriau am blant a phobol ieuainc o wahanol oedrannau (gweler WVBD). Yn ôl LGW fel hyn yr oedd y sefyllfa hanner canrif yn ôl: o ogledd Ceredigion i Sir y Fflint y gair mwyaf cyffredin oedd *hogan*. Yr oedd *geneth* yn gadarn yn Nyffryn Clwyd a Hiraethog a dwyrain Sir Ddinbych ac yn digwydd ym Maldwyn a Môn hefyd. *Lodes* oedd y gair arferol ym Maldwyn ac yr oedd hwn yn ymestyn i lawr i ganol Ceredigion. *Croten* oedd gair arferol Morgannwg, Sir Gâr a de Ceredigion. Cafwyd *rhoces* yn Sir Benfro ac ym Morgannwg. Digwydd *merch* yn gyffredin rhwng Sir Benfro a Dwyrain Morgannwg, ac ym Môn hefyd. Ond mae'r sefyllfa'n ddyrys iawn mewn gwirionedd gyda sawl man holi yn nodi dau (neu dri) gair gwahanol.

Mae'r sefyllfa heddiw yn ymddangos yn ddigon tebyg. Ym Môn, am y lluosog, dywedir *hogia* neu *hogia genod* os oes angen gwahaniaethu. Yma rhaid cofio y gallai *hogiau* gyfeirio'n wreiddiol at blant o unrhyw ryw. O'r Saesneg *hog* 'anifail ifanc' y daw, a dim ond yn 1605 y'i cofnodwyd gyntaf yn y Gymraeg. Nodwyd *merched* yn Nwyfor hefyd.

Merc'h yw'r gair Llydaweg, a yngenir fel ag yn y Gymraeg, a digwydd *myrgh* a *mergh* yn y Gernyweg. O *hogennod* y daw *genod*, ond efallai bod rhywfaint o ddylanwad *genethod* arno hefyd. Mae *geneth* yn hen air sy'n deillio o'r un gwreiddyn â *geni*, ac mae'n digwydd yng Ngâl bron i ddwy fil o flynyddoedd yn ôl dan y ffurf *geneta*. Ceir un arysgrif sy'n nodi *geneta imi daga wimpi* 'geneth wyf, da, gwymp (gwych)' (DLG). Daw *geneth* o'r un gwreiddyn â *geni* a *generate* yn Saesneg, a ddaw yn ei dro o'r Lladin. Ystyr wreiddiol oedd rhywbeth fel 'achosi, epilio' a datblygodd yn Saesneg yn *kin* 'teulu'. Ffurf fenywaidd ar *crwt* yw *crot(en)* a daw o'r Saesneg *crut* sydd yn ei dro yn deillio o'r Ffrangeg *crotte* (12g, DEB 437). O'r un gwreiddyn â *hogyn* y daw *rhoces* sef yr *hoges* (*hog+-es*). *Merch* a *geneth* felly yw'r unig eiriau Celtaidd, gyda'r lleill yn fenthyciadau o'r Saesneg. Talfyriad o *herlodes* yw *lodes*, a daw hwn o'r Saesneg (neu'r Ffrangeg) *harlot* 'crwydryn' etc. Nid oedd yr ystyr o hyd yn negyddol i awduron Saesneg yr Oesoedd Canol fel Chaucer.

Glaw (WVBD 151)

Ni fydd yn syndod gwybod bod cyfoeth o eiriau a phriod-ddulliau yn y Gymraeg i ddisgrifio gwahanol fathau o law. Gan fod y sgwrs wedi'i sbarduno gan yr hyn a ddywedid ym Mangor ganrif yn ôl cychwynnaf yma. Nododd Fynes-Clinton yr ymadroddion *mae hi'n hel glaw* (ar ddod), *mae hi wedi cau am law* (pan fo sicrwydd y bydd y glaw yn parhau am hir) a *glaw mawr. Mochal* (ymochel) *y glaw* y bydd Gogs. Noda hefyd *gwlithlaw* am law ysgafn, ysgafn.

Mae *piso bwrw,* addasiad o'r Saesneg yn ôl pob tebyg yn gyffredin o Fôn i Fynwy. *Pistyllio* yn Felin-fach, *pystillio* yn Llandysul a *'stillio* yn y Gogledd-orllewin – neu ei *'stillio hi.* Mae *pigo bwrw* hefyd yn derm cenedlaethol.

Yn y Gogledd dywedir *glaw mân* (am law ysgafn), neu gellir sôn am *smwcan o law,* a bydd weithiau yn *pigo bwrw.* Yr wyf innau wedi clywed *taflu dagrau* ym Môn, am fwrw ambell ddiferyn yn unig. Dywedir y bydd *glaw Mai yn lladd llau,* ond ni wn paham. Yn Nefyn ceir *glaw malwod* (beth yw hyn??). Clywir *smwclaw* am *drizzle* yn y Blaenau, ac yn Eifionydd ceir tywydd *smwclyd.* Yn y Blaenau gall *lawio glaw. Tŵallt y glaw, stido bwrw, tresio bwrw* sydd fwyaf cyffredin yn y gogledd. Yn Nhrefor gall fod yn *bwrw brics, hyrddio* yn Eryri, a *dymchwal* yn Llŷn. Yn Eryri ceir *glaw mynydd,* sef glaw ysgafn bron fel niwl. Yn Llŷn ac Eifionydd (BILLE 21) ceid *glaw gogr sidan* am law mân y gwanwyn – delwedd hyfryd. Byddai 'hen beros' gogledd Môn yn sôn am *law fel gwlân cotwm* am gawod ysgafn. Yng Ngwalchmai gall hyd yn oed fod yn *bwrw haul* os yw'n arbennig o braf. Yn y Gogledd-orllewin *glaw tyfu* yw'r glaw ysgafn sidanaidd a geir yn y gwanwyn. Tua Sir y Fflint *glawio* a ddywedir yn hytrach na *bwrw (glaw),* gyda'r ynganiad *glywio.*

Bydd yn *bwrw hen wragedd â ffyn* yn y Gogledd, a chymeraf mai cymharu â sŵn criw o hen wragedd yn bwrw eu ffyn cerdded yn erbyn ffordd garreg sydd yma. Ceir *glaw ŵyn bach* yn Nanmor, glaw mân tyner ym Mawrth a ystyrir yn help i'r defaid wyna. Ceir *tywydd grifft* yn Eryri, sef 'noson dyner o law mân ym Mawrth. Dyma pryd y daw llyffantod i'r pyllau i gydmaru - fe'u gwelwch hyd y ffyrdd yng ngolau'r car'. Yn Llanrug adroddir y rhigwm hwn:

Roedd hi'n bwrw fel o grwc,
Ond roedd Noa a fi yn yr Arch wrth lwc.

Mae amrywiadau ar *arllwys y glaw* (gweler y gair hwn hefyd) yn gyffredin iawn yn y De. *Briwlan* (< *briwlaw, briw+glaw*) yw *to drizzle* yng Nghaerfyrddin. *Glaw tyrfe* yw glaw taranau yn Nyffryn Aman. *Glaw glwchu* yw glaw mân parhaus yn Llandysul. *Bwrw'n gas* yw'r ffordd o ddweud pigo bwrw yng Nghwm Rhondda – nododd un iddo gofio'i fam-gu, a siaradai Wenhwyseg pur, yn dweud hyn. Yma hefyd sonnid am *ddwyrnod glawog, glaw gola, glaw trwm*, a *jac-y-glaw* yw *watering can.*

Mae tarddiad y gair *glaw* (Llydaweg *glav*) yn anhysbys, ac felly hefyd *stido* a *smwc.* O'r Saesneg '*to thresh*' y daw *tresio.* Efallai bod rhai ohonoch wedi sylwi ar y sillafiad *gwlaw* yn y cyfnod Fictoraidd. Gorgywiriad yw hwn oherwydd y dyb ei fod yn perthyn i *gwlyb* a *gwlychu.*

Gollwng

Ni bu digon o atebion i ddod i gasgliadau cadarn ynghylch dosbarthiad yr amrywiadau. O ran y berfenw (sy'n amrywio'n helaeth) nodwyd *gollwng* yn Arfon, Corwen ac i lawr at ogledd Ceredigion, *gollwn* (Penrhyndeudraeth), *gwllwng* (Llŷn), *gwllwn* (Dyffryn Nantlle), *gillwng* (Tregaron, Penfro), *gillwn* (Bangor, Hendygwyn, Penfro) ac *gellwn* yn tra-arglwyddiaethu yn De pellaf (Y Tymbl, Brynberian, Blaenau Morgannwg, Glyn Llwchwr). *Gollwng* yw'r ffurf wreiddiol, ac mae GPC yn nodi'r amrywiadau *ellwng,* felly mae'n ymddangos bod *w, o, e* ac *i* yn digwydd yn y sillaf gyntaf, a gall y gytsain olaf amrywio rhwng *-n* ac *-ng.* Mae cymysgedd ddyrys yn yr ardal lle cefais i fy magu yn nhriongl Llangefni, Bangor a Chaernarfon. Rydw i'n amau y byddwn yn tueddu at *gollwng,* gan neilltuo *gillwng* ar gyfer 'to leak', e.e. 'mae'r beipan yn gillwng'.

Yn fras mae gan Gymraeg diweddar dair ffurf o wneud ffurf orchmynnol berf (ar wahân i ddefnyddio gair cwbl wahanol fel *mynd – dos!/cer!*). Gellir defnyddio bôn y ferf e.e. *clywed – clyw!, cysgu – cwsg!.* Gellir hefyd ychwanegu *-a,* er bod hwn yn ddatblygiad diweddarach nad yw i'w weld yn yr ieithoedd Brythoneg eraill. Ffrwyth ailddehongli yw'r trydydd, hynny yw meddwl mai terfyniad yw rhan olaf gair lluosill pan mai rhan annatod o'r ferf yw mewn gwirionedd. Fel hyn y cafwyd *gwll* o *gollwng* (Arfon), er mai o'r amrywiad *gwllwng* y deillia hwn. Ym Môn gellir clywed *gillwn!* a *gill!* ac o ran y lluosog *gyllyngwch!* neu *gollyngwch!* neu *gillwch!.*

Gorwedd (WVBD 161)

Ym Mangor ganrif yn ôl yr ynganiad oedd *gorfadd*. Am y dyfodol dywedid *gorfedda i*, ac am y gorffennol *gorfeddis i*, neu hyd yn oed *'feddis i*. Am y gorchmynnol dywedid *gorfa(dd)* neu *gorfedda*. *Gorfa' i lawr* ydy '*lie down*' ac yn *'i orfadd* yw '*lying down*'.

Gorwedd yw'r ynganiad arferol yn y De, ond yn y Gogledd-orllewin mae'r *w* wedi troi'n *f*, fel ag yn *cawod* > *cafod* ac ati. Yn ne Ceredigion yr ynganiad yw *gorwe*, gyda cholli'r *-dd* ar y diwedd. *Gorwa(dd)* a wneir ym Merthyr a Rhymni. *Gorfedda/gorfeddwch* ydy'r ffurfiau gorchmynnol yn y Gogledd-orllewin. Yn y Gogledd-orllewin *gorweddian* yw'r gair am '*lying about*' ond yr ynganiad yn Eryri ydy *gorfeddian*.

Grasshopper (LGW 175)

Dyma enw sydd ag amrywiaeth mawr a chymhleth i'w ddosbarthiad. Yn anffodus nid oedd y cyfraniadau yn ddigon niferus nac eang i allu dod i gasgliadau cadarn. Yn LGW (yn fras) nodwyd *robin sbonc* ym Môn, ffurfiau ar *ceiliog y rhedyn* ledled gweddill Cymru, ond gyda *sboncyn/sbonciwr y gwair* yn Arfon. Cafwyd *sioncyn y gwair* hefyd, a ffurf fwyaf cyffredin de Ceredigion, Penfro a Sir Gâr oedd *jac (y) jwmper*. Ond ceir '*outliers*' niferus i bron bob un o'r rhain. Yng Nglyn Llwchwr nodwyd *c(e)il(i)og y gwair*. Ni nodwyd yr union ynganiadau yn LGW. Mae'r tarddiadau yn ddigon amlwg gyda *sbonc* (neidio) a *sionc* (heini) yn egluro dau o'r enwau, ond dichon bod rhyw gyd-ddylanwad rhyngddynt.

Ni nododd neb *robin sbonc* Môn yn ystod y drafodaeth. Cafwyd *sboncyn (y) gwair* ym Môn a Llanrwst gyda *sioncyn y gwair* yn digwydd ym Meirionnydd, yn Llŷn ac yn ddigamsyniol yn Nhrawsfynydd. Dim ond yng ngogledd Sir Benfro y nodwyd *ceiliog y rhedyn* (y gair sydd yn y Beibl). *Jac y jwmper* a gafwyd yn Llandysul, Llangeler a Chapel Iwan gyda *Jac y jympyr* yn Nhregaron, y Twmbwl (Tymbl), a *Jaci Jympa* yn Llandybïe.

Gweirglodd (GPC)

Prin oedd yr atebion i'r cwestiwn hwn. Cae gwair yw *gweirglodd* (< *gwair+clawdd*) ac mae'r hyn a nodwyd yn cyfateb i'r drafodaeth yn GPC. Ym Môn, Arfon a Meirionnydd y ffurf arferol yw *werglodd*, gyda'r ffurf dreigledig, ar y cyfan, wedi disodli'r ffurf gysefin. Yn Arfon nodwyd hefyd yr amrywiad *warglodd*. Ym Mhenfro cofnodwyd y ffurfiau *fwrglo*, *yr wrglo* (RhGG 88), ond yr unig ateb a gafwyd yn y drafodaeth oedd *werglo* yn

Eglwyswrw. Mae colli *-dd* ar ddiwedd gair lluosill yn gyffredin iawn yn y De. Nododd sawl un mor gyffredin yw mewn enwau lleoedd yn eu hardaloedd.

Gwlyb

Ni fydd yn fawr o syndod i neb bod digonedd o ffyrdd yn y Gymraeg o gyfleu bod rhywun yn wlyb. Yn Sir Benfro a Sir Gâr bydd pobl yn *(w)lyb stecs* neu'n *boten stecs* neu'n *(w)lyb hyd y crwên* (croen). Yng Ngheredigion bydd pobl yn *(w)lyb soben,* neu'n *sopen* yn Sir Gâr. Hyd yn oed yn waeth yw bod yn *(w)lyb stecs diferu* (Pencader). Yn Nhregaron gellir bod yn *(w)lyb diferu,* yn *(w)lyb drwyddo* neu'n *(w)lyb drabŵd.* Mae yn *(w)lyb domen* yn hysbys ac yn y Tymbl gellir bod yn *socan tswps* ac yng Nghapel Iwan dywedir *stegetsh.* Ym Mrynaman ceir *socan potsh cabej* ac yn y Rhondda *yn wlib i'r cro'n, yn wlib diferu* ac yn *wlib toman.* Yn Sir Ddinbych byddir yn *(w)lyb socen* neu'n *(w)lyb domen.* Yn y Gogledd-orllewin gellir bod *yn (w)lyb doman,* yn *(w)lyb soc,* yn *(w)lyb diferyd/diferol, yn socian, yn wlyb 'dat y croen* neu'n *(w)lyb doman dail.* Mae tomen wlyb yn wlyb drwyddi ac yn drwm, sef *saturated. Gleb* yw'r gair Llydaweg a daw o wreiddyn PIE **wlik^{w}-,* a roddodd hefyd *gwlith* a *gwlychu* yn y Gymraeg. Y gwreiddyn hwn hefyd a roddodd y geiriau Lladin y daw *liquid* a *liquor* ohonynt.

Handkerchief (LGW)

Dyma un o'r geiriau sy'n amrywio fwyaf o un pen i'r wlad i'r llall, fel y gellir gweld yn LGW. Yn y Gogledd y ffurf arferol yw *hances* neu *hancas* (*hancas bapur, hancas bocad*). Yn Arfon ceir *hancaits* ac yng Nglyn Ceiriog *hancies poced.* Yn y Rhos, Ponciau, Dyffryn Conwy a Dinbych bydd pobol yn sychu eu trwynau â *cadach poced,* ond clywir *hances* hefyd. Ceir *cadach pocied* hefyd yn Nyffryn Conwy. O ran diddordeb, un o'r geiriau Gwyddeleg gweddol gyffredin yn y Gymraeg yw *cadach.* Yn Sir Fôn Fawr ceir *ffunan* (*ffunen*), ond mae *hancas* yn fwy cyffredin yn Sir Fôn Fach (y de), ac mae *ffunan* yn ildio iddo mewn rhai mannau. Ceir *ffenan* yn Llanfechell. O'r Lladin *fūnis* 'rheffyn, llinyn' y daw hwn.

Macyn yng Ngheredigion hyd at Landudoch ond *necloth* yn Abergwaun ac i'r gorllewin. *Nisied* yn Nyffryn Aman a'r cymoedd ond *nisiad boc* yn y Rhondda. *Angsiyr* a geir yn Llandybïe ond *ancishyr* yng Nglyn Llwchwr a Phontardulais a Llanddarog. Daw *macyn* o '*napkin*', a *necloth* o '*neck-cloth*'. O '*handkerchief*' y daw *hances* ac *ancishyr.*

Hesbin, llydnes

Ym Môn y gair am ddafad flwydd sydd heb fwrw oen yw *llydnas* (*llydnes*). Ceir y lluosog *llydnesa* a *llydnesi*. Ond ychydig i'r de yn Llanllechid ac Eryri *hesbin* (ll. *'sbinod*) a glywir, a dyma sy'n arferol yng ngweddill y Gogledd. Yn Eifionydd dywedir *hesbin dau ddant* am ddafad ddwyflwydd heb ddod ag oen. *Hesben* a geir yng Ngheredigion, Cwm Gwaun a Threfenter tra mai *'sbinen* (*'sbinod*) yw yn Nhyddewi. Yn Sir Gâr *hesben* (ll. *hesbennod*) a ddywedir, ond nododd un *hesben* ac *esbennod* lle collwyd yr *h* oherwydd nad yw'r acen ar y sillaf gyntaf. *Hesbynnod* yw'r lluosog yn Nhregaron.

Mae tarddiad y gair *llwdn* yn anhysbys. Yn Llydaweg *loen* 'anifail' yw'r ffurf, ond yn Leon yn y Gogledd-orllewin yr ynganiad yw *loan*, a dyma'r gair am geffyl yno. O'r gair *hysb* a'r ffurf fenywaidd *hesb* y daw *hesbin* ac ystyr hwn yw *sych*. Gall afon neu syniadau fynd yn *hesb* (y ffurf fenywaidd). Mae Afon Hesbin yn Nyffryn Clwyd ac mae hi'n diflannu yn yr haf ac yn mynd yn hesb. Mae'r ddafad yn hesb oherwydd nad yw eto wedi rhoi llaeth. Ym Môn hefyd clywais *sbinhwch* (hesbin hwch) sy'n golygu hwch ifanc sydd heb gael baedd. Y ffurf wrywaidd am y ddafad yw *hesbwrn* gyda'r lluosog *'sbyrniaid*. Dywedir *mynd yn hysb* am rywun yn methu meddwl beth i'w ddweud nesaf, fel pregethwr neu ddarlledwr. Daw *hysb* o'r Gelteg **si-sk^{w}o-* o'r gwreiddyn **seku-* 'sych'. Daw'r gair *sych* o'r Lladin *siccus* sydd hefyd o'r gwreiddyn hwn, a rhoddodd hwn *desiccate* i'r iaith Saesneg. Mae *sych* a *hesb* felly yn gytras.

Yn Llŷn y gair am ddafad sydd wedi magu oen yw *mamog*, a'r lluosog ar lafar yw *moga*. *Mogied* yw'r lluosog ym Mhenllyn.

Housefly

Pry/pryfid yn y Gogledd, er y gall hwn gyfeirio at unrhyw drychfil. Mae *pryfaid* ar lafar ym Môn, a *pryfed* yw'r lluosog ym Mhenllyn. Nodwyd *pry tŷ* yn Llŷn ac Eryri ond efallai bod dylanwad y Saesneg i'w weld yma. Ceir *pry ffenast* gan lawer yn y Gogledd-orllewin. *Gweybyd* yn Rhosllannerchrugog, gyda *gwybed(yn)* yng Nglyn Ceiriog a Sir Drefaldwyn.

Ceir *pryfyn/pryfed* yn Llanddewi Brefi a Llambed hefyd. Erbyn cyrraedd ardal Aberteifi *cylionen* (a *cilionen*)/*cylion* sy'n arferol. *Cilion* sydd ym Mhenfro ac mae rhyw gymysgu yn ardal Pencader. Yn ne Sir Gâr *clêr*/*cleren* sy'n arferol, ond mae rhai yn nodi mai *horsefly* yw hon iddyn nhw. *Cilionan* (*cilion*) a geir yn y tŷ yn y Rhondda a *cleran* (*clêr*) yn gyffredinol.

Coeliwch neu beidio ond mae *worm* a *vermin* (o'r Lladin) yn perthyn i *pryf*. Y gair Sanscrit (hen iaith gogledd India) cytras yw *krmih*, a defnyddid rhai pryfaid cochion wedi eu malu i wneud deunydd lliwio. Benthycodd yr Arabeg y gair hwn fel *qirmiz*, ac o'r fan honno aeth i'r Eidaleg fel *carmesi* ac yn y diwedd i'r Saesneg fel *crimson*.

Digwydd *clehurin* mewn Hen Lydaweg ond nid yw'n sicr ai'r un gair â *clêr* yw. Mae *cylion* yn cyfateb i *kelienn* yn y Llydaweg ac mae hwn yn perthyn i'r gair Lladin *culex* sy'n deillio o air am 'pigog', fel *cala* 'penis', *celyn* a *colyn*.

Hurt (WVBD 392)

Ceir sawl gair am '*to hurt*' yn Gymraeg ond mae cryn gymysgu ac amrywio daearyddol gyda mwy nag un ffurf yn gyffredin mewn sawl ardal.

Brifo (< *briwo*) yw'r ffurf arferol yn y Gogledd, ond mae *'nafu* (anafu) a *bnafyd* (ymanafyd) yn gyffredin hefyd. Nodwyd *bynafyd* am niwed drwg iawn yn Amlwch, ond mewn mannau eraill mae'n ymddangos yn llai difrifol. Mae *bnafyd* yn hysbys o Fôn i Rosllannerchrugog lle ceir *'nafyd*. *Brifo* a geir yn Abercegyr ger Machynlleth.

Yn Sir Gâr ceir *'nafu, brifo* a *'neud dolur*. Mae *'neud dolur* yn gyffredin iawn yn y De. O'r Lladin *dolōrem* y daw hwn – meddyliwch am y *Via Dolorosa*, a *douleur* yn Ffrangeg. Nodwyd *dolur* yn Llandybïe ond *rhoi lôs* yn Nhŷ-croes, Cwm Gwendraeth a Rhydaman. Daw hwn o *gloes* (gyda'r ffurf dreigledig wedi disodli'r ffurf wreiddiol) ond mae tarddiad pellach hwnnw yn anhysbys. Ystyr wreiddiol *briw* oedd *torri* ac fe welwn hwn yn *briwsion*. Mae'n ddigon cyffredin gweld *w* yn dod yn *f* rhwng llafariaid fel ag yn *cawod* > *cafod*. Geiriau cytras yn Saesneg yw *brittle* a *brothel* – ystyr wreiddiol yr olaf oedd rhywun diwerth. Mae'r gair *bruise* yn perthyn hefyd, ac mae hwn yn ffrwyth cymysgu gair Germaneg a gair Ffrangeg. Daw'r gair Ffrangeg o gynffurf ein gair Cymraeg ni oherwydd bod trigolion Gâl wedi parhau i ddefnyddio llawer iawn o eiriau Celtaidd ar ôl iddynt fabwysiadu Lladin (DEE & DIER).

Hut

Y gair cyffredin yn y Gogledd-orllewin yw *cwt/cytia* ond *cut/cutie* a glywir yn ardal y Bala. Yr ynganiad yn Esgairgeiliog (ger Machynlleth) yw *cit*, gan fod hon yn ardal sydd wedi colli'r '*u* ogleddol' ers nifer o genedlaethau. O'r gair Saesneg *cot* y daw, a hwnnw a roddodd *cottage*. Yn ardal Tregaron dywedir *cwtsh*. Yng Nglyn Llwchwr *cwb* yw, ond yn Sir Gâr ceir *cwt ieir* ond *cwb y ci*.

Huwcyn cwsg, ac ati

Ym Mangor gan mlynedd yn ôl (WVBD) roedd y gair *moelio* yn gyfarwydd am y llygaid yn gwneud rhyw grawn annymunol. Y *moel* oedd y gair am hwn. Hen air yw hwn am yr *excess*, fel pan fyddwch yn gorlenwi cwpan gyda blawd – yr hyn sydd yn uwch na'r ymyl. Byddai'r llygaid yn *moelio* ar ôl annwyd er enghraifft. Dim ond yn Niwbwrch (Môn) y cafwyd y gair hwn ar lafar, ac yma am y stwff yng nghornel llygad ar ôl deffro yn y bore. Gair arall amdano yno oedd *Huwcyn*, ond bydd rhai yn defnyddio'r enw mewn ffordd wahanol, sef bod 'Huwcyn wedi cyrraedd' am rwbio llygaid gyda'r nos. Yn Ffrangeg dywedir *le marchand de sable est passé* – 'mae'r gwerthwr tywod wedi pasio', cyfeiriad at y syniad bod rhyw farsiandïwr dychmygol yn lluchio tywod i lygaid plant gan beri iddynt eu rhwbio. Mae'n debyg bod hwn yn cyfateb i'r *Sandman* yn Saesneg. Mae *Huwcyn* yn gyfarwydd yn y Gogledd-orllewin ond *cwsg* yw'r gair arferol yng ngweddill Cymru, er bod rhai yn dweud *cwsg bach* (Tregaron) neu *cysgu bach* (Llanddewi Brefi). *Dwst cwsg* a geir yng Nglyn Llwchwr. Bydd *Sioni cwsg* yn ymweld â phlant yn Ngheredigion a Dyffryn Aman ond *Siôn Cwsg* yn Llambed a Llansilin. *Sioncyn Cwsg* yw ei enw yn Llansannan. *Crawni* a wna'r llygaid yng Nghwm Gwaun ac Eryri ond *crawnio* yn Llŷn, a cheir *crawn cwsg* yn Amlwch. Yn Llŷn dywedir bod y *ci du arno/arni* pan fydd rhywun wedi blino.

Ieuanc

Rhediad Llanfairpwll fyddai *ifanc* (ieuanc), *ifinc* (lluosog), *cyn fengad â/mor ifanc â*, (cyfartal), *fengach na* (iau; cymharol), *y fenga* (yr ieuengaf; eithaf). Digon tebyg yw i rediad y De er mai *ifenc* fyddai'r lluosog yno, ac nad yw'r ffurfiau *cyn -ed â* ar lafar. *Ifancach* yw'r ffurf gymharol ac *yr ifanca* yw'r eithaf, hynny yw mae'r De wedi llwyr ailffurfio'r rhediad ar sail y ffurf arloesol *ifanc*.

Ym Mhencader nodwyd nad yw'r lluosog yn gyffredin, ac yn Nhregaron nodwyd mai dim ond mewn cyfuniadau cyffredin fel *ffermwyr ifainc, merched ifainc, bois ifainc* y mae'n arferol ymysg y to iau. Nododd cyn-ddarlithydd Llydaweg anhysbys ym Mhrifysgol Aberystwyth bod y lluosog yn graddol ddiflannu ymhlith myfyrwyr, hyd yn oed wrth ysgrifennu yn ffurfiol – ambell un yn unig sydd yn ymwybodol o'r arfer erbyn hyn. Daw o'r gwreiddyn **yeu-*. Mae hwn i'w weld yn y Saesneg *young* a *youth* ac yn y cyfenw Almaeneg *Junker*. Mae'r hefyd yn gytras â'r Lladin *iuuenis* (a roes *jeune* yn Ffrangeg) a gwelir hwn yn *rejuvenate* a *juvenile, junior* ac efallai enw'r duw *Juno*.

Lap, sit on lap – glin, arffed

Yn y Gogledd eistedd *ar lin* mam neu dad y bydd plentyn bach. Ar *gôl* bydd plant y De yn eistedd, gyda'r amrywiad ar *gwêl* yng Nghwm Gwaun. *Yng nghôl* a nodwyd ym Maes-teg. Yn ardal Brynaman eistedd *ar gyrffed* y bydd. Daw hwn o *arffed*, fel *arffedog* > *ffedog*. Yn yr ardal yma gellir hefyd eistedd ar *b'lin* (*pen-glin*) tad.

Daw *glin* o'r hen air **genu-*. Roedd un o'r amrywiadau heb yr *e* ac felly cafwyd *gnu-*, a chyda therfyniad cafwyd **gnūn-* (GPC). Yn aml nid yw ieithoedd yn hoff o'r un gytsain yn digwydd ddwywaith yn agos at ei gilydd (dadfathiad) felly byddant yn newid un ohonynt. Felly cafwyd y gair Celteg **glūn-* a hwn a ddatblygodd yn *glin*. Gobeithio bod hynny yn hollol glir! Mewn ieithoedd Germaneg trodd pob *g-* ar ddechrau gair yn *k-*, ac felly rhoddodd **genu-* y gair *knee* yn Saesneg. Y gair Lladin oedd *genu* a rhoddodd hwn *genuflect*, sef plygu glin o flaen rhywun o statws uwch. Amrywiad rheolaidd ar hwn oedd **gonu-*, a allai olygu *plyg* hefyd, a rhoddodd y gair Groeg *gonu* sydd i'w weld yn *polygon* a *diagonal* a *pentagon*. O *cofl* y daeth *côl* ond mae tarddiad hwnnw yn ansicr. O ran *arffed* mae hwn yn dod o air PIE sy'n golygu bwa, sef **ark*^{w}*o-*. Mae'n siŵr bod nifer ohonoch eisoes yn gwybod bod k^{w} y Gelteg wedi troi'n *p* mewn un gangen (Galeg-Brythoneg) ac mai dyma sy'n cyfrif am gyfatebiaethau 'P/Q' fel *mab* a *mac* neu *pen(n)* a *ce(a)nn*. O **arp-* y cawsom *arff(ed)*. Y gwreiddyn hwn a roddodd *arcus* yn Lladin a ddaeth yn *arch* yn Saesneg (trwy'r Ffrangeg). Hwn a roddodd *archer, arc* ac *arcade*. Y gair cytras Saesneg yw *arrow*, efallai oherwydd mai cyfeirio at y bwa a wnâi yn wreiddiol, neu oherwydd meddwl am y ddau fel uned fel *bwa-saeth* yn Gymraeg.

Look!

Mae sawl ffordd i ddweud wrth rywun am edrych ar rywbeth yn y Gymraeg. Amrywiadau ar *disgwyl* sydd fwyaf cyffredin yn y De. Y syniad yw i rywun fod yn disgwyl neu'n aros ei olwg ar wrthrych. Gall ddigwydd fel *dishgwl* neu *dishgwla* (Cwm Llynfell) gyda'r ffurf fyrrach *shgwla* yn gyffredin. Yn Rhydaman clywir *wshgwl!*, ac yn Llandybïe *distla!*.

Mae ffurfiau ar *edrych* yn gyffredin ledled y Gogledd. Gallai *y* droi'n *e* yn y sillaf olaf, ac yn y Gogledd-orllewin try'n *a* gan roi *edrach*. Mae *edrycha* yn ffurf ofalus er mai *'drycha* sydd fwyaf arferol gyda cholli'r llafariad ddiacen gyntaf. O Ddyffryn Clwyd i Gorwen mae *dycha* yn arferol. Ceir *edrych* yn y De hefyd.

Yn y Gogledd-orllewin mae *sbïa* (< Saesneg *espy*) yn gyffredin iawn, a cheir *yli* hefyd. Ffurf ar *gweli* yw hon, a nodwyd *gyla* yn Llandybïe yn ogystal. Mae *yli* yn digwydd fel tag yn aml iawn yn y Gogledd lle nad yw'n golygu *edrycha* yn llythrennol e.e. 'does 'na ddim brys i ti, yli'. Mae *drycha, sbïa* ac *yli* oll yn digwydd gyda'i gilydd mewn sawl ardal yn y Gogledd-orllewin.

O *gŵyl* y daw *disgwyl* ac o'r Lladin *vigilia* (>**vig'lia*) y daeth hwn. Gwelir hwn yn *vigil* ac *invigilate*. O'r gwreiddyn PIE **derk-* 'edrych' y daw *edrych*, ac felly hefyd y geiriau *drych* ac *ardderchog*. Mae i'w weld hefyd yn yr enw personol *Rhydderch*. Rhoddodd hwn y gair Groeg *drakon* a fabwysiadwyd gan y Rhufeiniaid fel *dracō* (gen. *draconis*). Ei ystyr oedd rhywbeth fel y 'bwystfil brawychus ei olwg'. Mabwysiadodd y Brythoniaid y gair hwn gan roi *draig* yn Gymraeg. *Dragon* yw'r ffurf Ffrangeg a rhoddodd hwn *dragon*, a *dragoon* yn y Saesneg (am farchog o filwr), mae'n debyg am fod gynnau'r milwyr hyn yn chwythu tân fel dreigiau. O'r gair Lladin y cafodd Draco Malfoy ei enw a hefyd Dracula (draig fach).

Llaeth, llefrith (LGW 333a, WVBD 344)

Nid yw'r gair *llefrith* ar lafar yn gyffredinol yn y De. Er hyn, hen, hen air yw a'r ail elfen yw *blith* fel ag yn *gwartheg blithion* (sy'n rhoi llaeth) ac mae'n digwydd yn y Llydaweg fel *livrizh* ac yn yr Wyddeleg. O **mlith* < **mlicht* y daw ac mae hwn yn gytras â *milk* yn y Saesneg. *Llâth* a geir yn y De gyda *llaeth* ym Maldwyn ac ym Mhenllyn. Yn y Gogledd-orllewin defnyddir *llaeth enwyn* am '*buttermilk*'. Mae'n bur debyg mai o'r Lladin *lact-* y daw hwn, elfen a welir mewn geiriau fel *lactose, lactic* a hefyd *letus* (*lettuce*) oherwydd y sudd gwyn sydd yn y planhigyn deiliog hwn. Mae'r elfen hon i'w gweld hefyd yn *ga**lax**y*, fel ag yn *The Milky Way, Y Llwybr Llaethog*.

Yn Sir Drefaldwyn nodwyd 'llaeth yn syth o'r fuwch, llefrith yn syth o'r botel: lori laeth, fan lefrith'. Felly hefyd yn Llangefni: *lori laeth* ond *can llefrith*. Ac wrth gwrs *dyn llefrith*. Ceir *tatw llaeth* ym Môn. Yng Ngwalchmai ceid *posal dŵr* – llaeth gyda dŵr cynnes arno nes ei fod yn gwahanu. Yn Nyffryn Clwyd ceid *bara llaeth 'di grasu* sef bara wedi'i dostio yn ddarnau mewn bowlen, llaeth enwyn ar ei ben o ac andros o lot o siwgr! Yn y traethawd *Tafodiaith Rhan Isaf Dyffryn Llwchwr* (1958) nodir *llâth glas* (skimmed), *llâth enwyn* (buttermilk), *llâth torro* (llaeth buwch newydd eni llo), *llâth y fuwch goch* (te â diferyn o rum), *llethreg dda* (llaethwraig – buwch sy'n rhoi lot o laeth), *y dwymyn lâth* (milk fever), *'fenu'r llâth* (codi hufen oddi ar y llaeth wrth neud menyn). Yng Nghastellnewy' *llâth y fuwch goch* yw cwrw a *llâth y fuwch ddu* yw stowt ac yn Nhrawsfynydd *llaeth y fuwch ddu* yw Guinness. Yn ardal Caernarfon dywedir *llaeth mwnci* am gwrw. *Glasddwr* yw llaeth â dŵr yn Arfon, ac yr wyf i'n gyfarwydd â *glastwr llefrith* yn ardal y Fenai.

Yn Niwbwrch cyfeirid at y lori fyddai'n dod i gasglu llefrith yn y boreau fel *lori laeth*, ac ar *stand llaeth* byddid yn rhoi'r can llaeth i gael ei gasglu. *Llaethog* fyddai buwch os oedd pwrs mawr ganddi neu'n godro'n dda. Hefyd *pot llaeth cadw* am bot pridd lle'r oeddech chi'n rhoi'r llefrith i suro cyn ei gorddi. Yn y Rhondda ceir *llaeth glas* [ɫæθ glæʌs] (llaeth heb fawr o hufen), *llaeth llefrith* [ɬæʌθ ɬɛvrɪθ] (llaeth llawn hufen) sy'n cadarnhau y bu *llefrith* ar lafar yn y De yn y gorffennol. Felly hefyd *llefrith* [ˈɬɛvrɪθ] am *llaeth enwyn* ym Mlaenau Morgannwg. *Llaeth y dor* a geir yn y Ponciau (ger Rhosllannerchrugog) am *beestings*. Yn y Gogledd bwyteid *pwdin llo bach* sef llaeth cynta'r fuwch ar ôl geni'r llo bach – wedi ei dwymo yn y popty.

Rhoddodd Ieuan James englyn o'i eiddo inni, 'Llefrith', gan nodi bod llefrith a llaeth yn hysbys yn Nolgellau:

> Un o fwydydd hanfodol – daw o fuwch
>   Gyda'i faeth egnïol;
>   Mae llefrith yn lith di-lol
>   I'r baban ac i'r bobol.

Yn ardal Bangor ceir *bleinion* (y llaeth sala wth odro), *tical* (yr olaf o'r llaeth wrth odro). Dywedir *tŷ llaeth* am *dairy*. *Llaeth newydd* yw'r *beestings*, *llaeth wedi ceulo* yw *curdled milk* a *llaeth cadw* yw hwnnw ar gyfer gwneud menyn. Diod o lefrith a llaeth enwyn yw *posal dau laeth*.

Lleoedd, llefydd

Lleoedd yw lluosog hanesyddol y gair *lle*, ond ymddengys bod *llefydd* wedi'i ddisodli ym mhob cyd-destun anffurfiol ledled y wlad. Mewn Hen Gymraeg yngenid *lle* gyda rhyw *g* ysgafn, debyg i *ch* ar y diwedd. Collwyd y sain hon yn y Gymraeg ganrifoedd lawer yn ôl. Collwyd *f* ar ddiwedd llawer o eiriau fel *ha', tre'* ac ati) felly hawdd yw camdybio bod geiriau sy'n diweddu â llafariad wedi colli'r *-f*. Ar batrwm geiriau fel hyn mae'n bosibl 'adfer' sain na fu yno erioed – y gair am hyn yw *gorgywiro*. Felly y datblygodd y teimlad mai *lle(f)* oedd y ffurf gywir, a gosodwyd y terfyniad lluosog *-ydd* arno gan roi *llefydd*. Digwyddodd hyn ganrifoedd yn ôl. Ceir *llevydd* gan yr ysgolhaig Edward Lhuyd yn ei *Archaeologia Britannica* rhyfeddol ym 1707, ac o hynny ymlaen mae'n edrych fel ei fod yn dechrau disodli *lleoedd* yn gyfan gwbl. Er hyn *lleoedd* yw'r ffurf safonol o hyd a gwelir hyn mewn geiriau fel *cadarnleoedd*. Fyddai neb yn dweud *cadarnlefydd*.

Daw *lle* o'r gwreiddyn IE _*legh-_ 'gorwedd' ac mae i'w weld yn y geiriau *gwely* (< _*wo-leg-_) a *gwâl* a'r Saesneg *'lie'*. Daw'r gair Saesneg *law* (cyfraith) o air Llychlyneg a'i ystyr yma yw'r hyn sy'n cael 'ei osod i lawr'. Felly hefyd *lager* (y cwrw) a ddaw o'r Almaeneg *Lagerbier* o *Lager* 'storws', y man lle gosodid cwrw i'w gadw (gorwedd) am rai misoedd cyn ei yfed. Efallai bod rhai ohonoch yn gyfarwydd â *Stalag*, camp ar gyfer carcharorion rhyfel yn yr Almaen yn ystod yr Ail Ryfel Byd. Ffurf gryno ar *stammlager* yw, gyda'r un *lager* 'storws' eto. O'r Llychlyneg eto daw'r Saesneg *low* 'isel' ac unwaith eto o'r gwreiddyn 'gorwedd' y daw.

Lletwad, ladal – *ladle*

Lletwad yw'r gair arferol yn y De. Ceir yr amrywiad *lletwart* yn Aberteifi a Sir Benfro. Nodwyd *lletwad gawl* yn y Rhondda. Yn Abertawe cafwyd *llwyarn* (*llwy+haearn*). Yn Eryri y gair yw *ladyl*, gyda *ladal* ym Môn. Byddai *ladal* yn y capel hefyd, i fynd o amgylch y gynulleidfa i hel y casgliad. Daw *lletwad* o'r Hen Saesneg *hlædfæt*. a daw *ladal* o'r Saesneg *ladle* (< *hlædel*). Y gair *load* 'llwytho' sydd wrth wraidd y ddau.

Llygad, llygaid

Holwyd beth oedd lluosog *llygad*, ac ai benywaidd ynteu gwrywaidd yw. Mae tystiolaeth Hen Gymraeg, y Gernyweg a'r Llydaweg yn gadarn o blaid y ffaith mai gwrywaidd oedd – *daoulagad* (dau-lygad) a geir yn Llydaw er enghraifft. Meddyliwch hefyd am gerdd John Morris Jones 'dau lygad disglair fel dwy em'. Serch hyn, benywaidd oedd i'r rhan fwyaf gyda *dwy ligad* yn Rhydaman a *dwy* ym mhobman bron yn y Gogledd. Ym Môn fe gewch *llygad ddu.* Yn Arfon nodwyd *llgada gleision,* ond *llygid glas* heb luosog yr ansoddair. Yn y Rhondda sonnir am *doi* (*dou*) *lygad* ond *doi lygad ddu* a *doi lygad _las.* Os nad yw'r anghysondeb cenedl hwn yn rhywbeth newydd gallai fod yn ffosil ieithyddol gan y byddid yn treiglo ar ôl y ffurf ddeuol wrywaidd mewn Cymraeg Canol e.e. 'dau Wyddel fonllwm' (< *bonllwm*) sy'n taflu'r meirwon Gwyddelig i'r Pair Dadeni ym Mabinogi Bendigeidfran. Efallai mai rhy fentrus fyddai cynnig bod y ffaith bod *llygaid* yn aml iawn yn digwydd fel pâr wedi cyfrannu i'r dryswch ynghylch cenedl y gair. Hynny yw, byddai treiglad yn dilyn *dau lygad* yn rheolaidd ac efallai i hyn gael ei ddehongli fel awgrym mai benywaidd yw. Ar y llaw arall efallai bod synio am lygaid fel pethau prydferth wedi cyfrannu at newid cenedl y gair. Mewn un arolwg gofynnwyd i siaradwyr Almaeneg a Ffrangeg ddisgrifio 'pont'. Benywaidd yw yn yr Almaeneg a thueddai pobl i roi ansoddeiriau fel 'hardd', 'gosgeiddig', tra byddai'r Ffrancod (lle mae'r gair yn wrywaidd) yn fwy tueddol o nodi geiriau fel 'grymus', 'cadarn'. Efallai bod rhyw dueddiad yn y Gymraeg i bennu cenedl fenywaidd i bethau hardd, ond byddai angen llawer rhagor o ymchwil cyn dod i gasgliad cadarn. Gwrywaidd oedd *llygad* yn ardal Bangor tua chanrif yn ôl (WVBD 357) felly mae'n ymddangos mai ers hynny y newidiodd ei genedl yn yr ardal honno.

Llygad yw'r ffurf unigol arferol ond ceir *dwy lyged* yn y Gogledd-ddwyrain. Yn y De *dwy lygad* sy'n arferol gyda *dwy liged* tua de Sir Gâr. Yn Nyffryn Banw cafwyd *dau lygaid.*

O ran y lluosog cafwyd *llygad* (Dre-fach Felindre), *lliged* (Llambed) ond *llicid* (Blaenau Morgannwg). Yn y Gogledd mae'r sefyllfa'n bur gymysg ac felly y bu ers tro gyda *llgada* a *llygid* yn cyd-fyw â'i gilydd. Yr wyf innau (ardal Bangor) yn gyfarwydd â *llygaid* fel ffurf unigol a *llgada* fel y lluosog ac mae WVBD 357 yn nodi *llygaid, ll(y)gada* a *llygid.* Efallai bod y ffurfiau cynharach *llygad* a *llygaid* braidd yn rhy debyg i'w gilydd ac felly lluniwyd y lluosog newydd *llygadau,* gan beri peth ansicrwydd p'run oedd yr unigol gwreiddiol, ai *llygad* ynteu *llyg(a)id.*

Yn y bôn mae'r gair hwn yn deillio o'r gwreiddyn **leuk-* (neu **leug-*, PIE. Mae dadl!) sy'n golygu 'llachar; gweld'. Rhoddodd **leuk-* y ffurfiau **llwg* a **llug* yn Gymraeg, ac fe'u gwelir yn *amlwg* a *golwg.* Mae'n digwydd hefyd mewn enwau nifer o afonydd llachar, fel *Llugwy*, ac yn *golau, lleuad* a *lloer* (< **lugrā:*). Dyma un o'r elfennau mwyaf cynhyrchiol yn y Broto-Indo-Ewropeg ac fe esgorodd ar bob math o eiriau yn y canghennau eraill. Yn y Saesneg cawn *light*, ac o'r Lladin cafwyd *lunar, lunatic* (cymharer â *lloerig* a *moonstruck*), *illustrate* a *translucent*. O'r Roeg cawn *lynx* a *leukaemia*.

O ran priod-ddulliau cafwyd y canlynol yn ardal Bangor ganrif yn ôl (WVBD 357): *llygaid llym* (*a stern look*), *cael llygad du* (*get a black eye*), *gneud llygad bach* (wincio), *y peth mwya ofnadwy welis i â llygad 'y mhen erioed, mae 'i lygad yn fwy na'i fol, chês i ddim cimint a rown i yn fy llygad, dim ond cimint â llygad iâr, ddaru o ddim agor fy llygad* (*he didn't put me up to it*). Hefyd *dachi'n llygad ych lle* (*you are quite right*) sy'n gyffredin o hyd, fel *edrach yn llygad y geiniog* (*weighs every penny carefully*), *ar ôl tynnu'r llygaid crafu'r tyllau* (*to add insult to injury*), *yn llygad yr haul* (*full in the sun*), *mae'n llgada poethion iawn* (*hot intervals of sun*), *llygad y berw* (canol rhywbeth sy'n berwi).

Ym Mynytho cafwyd *â'i lygad yn ei ben* am rywun sylwgar, ac *o lygad y ffynnon* (*from the horse's mouth*). Ym Mhontardulais clywir *fe yw ei ddwy ligad e* (h.y ffefryn). *Llygaid croes* yw '*cross eyes*', ac ym Môn sonnir am *lygada poeth* (o awyr) fel pan fyddwch yn cerdded at draeth heulog. Mae *gneud llygid llo bach* yn gyfarwydd yn y Gogledd am wneud llygaid diniwed yn fwriadol er mwyn ennyn cydymdeimlad. Ym Mrynaman dywedir *llond llygad deryn* am ddiferyn bach o ddiod. Yn Gorslas cawn *cered acha lliged ar gau* (bwrw mewn i bethau neu fethu gweld beth sy'n digwydd), *yn lliged i gyd* (syllu'n ddwys yn fusneslyd), *lliged yn fwy na bola* (trachwant), *llygad bwdwr* am lygad gwsg a *lliged tato* (llygaid tatws) am rai mawr. Yn Dre-fach Felindre ceir *llyged tro* am '*squint*'. Ym Môn bydd pobl yn edrych trwy *gil llygad* (yr ochr). Yma dywedir *llgada 'rha'* (yr haf) am lygaid gwael, *llgada cocos* (*cockles*) am rai bychain. Fel arfer ceir ffurf luosog yr ansoddair ar ôl *llygaid*: *llygaid gleision/duon/*ond *llygaid llwyd. Cannwyll y llygad* yw'r 'pupil', a'r gweddill yw *gwyn y llygad*; *twll y llygad* yw'r '*eye socket*' a *blew llygad* yw '*eyelashes*'.

Defnyddir *llygad* am '*noose*' hefyd, a cheir y blodyn *llygad y dydd*, sy'n gyfieithiad o'r Saesneg *daisy* ('*day's eye*').

Llyngyren, pry genwair, mwydyn

Ffurf arferol y Gogledd yw *pry genwa(i)r*, gyda'r ffurf dalfyredig *pry gen* i'w chlywed o gwmpas Dyffryn Nantlle. *Pry genwer* yw ynganiad Rhosllannerchrugog. Ym Môn arferir *llyngyran* neu *llyngyran ddaear*, gyda'r ynganiad *llynghyran* yn gyffredin yno hefyd. I'r de o Fôn cyfeiria *llyngyren* at y pryfaid sy'n byw ym mherfeddion dyn ac anifail (*threadworms*). Mae ychwanegu *daear* yn dangos yn glir nad at hwn y cyfeirir. Yn y Gogledd *llyngyr* yw'r ffurf luosog, tra mai *llynger* a geir yn y De gyda *llyngeryn* fel unigol. Tu allan i Geredigion (sef Penfro a de Sir Gâr) y tueddiad yw ynganu *llinger* a *llingeryn* gyda'r *y*-dywyll wedi datblygu'n *i*. Yn Sir Drefaldwyn y ffurf syml *pryfyn* a gafwyd.

Mwydyn yw'r gair mwyaf cyffredin yn y De, gyda'r ynganiad *mwytin* yn y Rhondda – mae'n gallu golygu '*penis*' hefyd, ond un tenau iawn wrth reswm: 'ca dy gopish 'chan, sneb isha gweld dy fwytin'. *Mwydod* yw'r lluosog, gyda rhai yn ardal Dre-fach Felindre yn dweud *mwydon*.

Os bydd rhywun yn ardal Tregaron yn cosi'i ben ôl fe'i holir 'oes llynger an'ti gwêd?' Yn Nyffryn Nantlle pan fydd rhywun yn gwingo ac yn methu eistedd yn llonydd, gofynnir a oes *llyngyr* arno/arni, ac yma bydd llawer yn dweud *cnoni* (cynrhoni) hefyd. Ym Môn bydd 'sgotwrs yn *llyngyru* tra mai *hel/casglu pryfid genwar* bydd Gogs eraill. *Casglu mwydod* fydd Hwntws.

Nodwyd bod rhai plant yn ysgol gynradd yr Wyddgrug yn dueddol o ddweud *mwydyn* gan eu bod wedi darllen llyfrau Rala Rwdins efo'i 'mwydyn yn y jam'. Mae ardaloedd lle mae'r dafodiaith leol wedi edwino yn fwy tueddol o gael eu dylanwadu gan y cyfryngau nag ardaloedd lle mae'r Gymraeg yn rymus yn y gymdeithas. Byddai hen bobol yn annog eu plant i fwyta'n iach gyda rhybuddion fel 'Byt frechdan neu mi gei di lyngir' (Arfon). 'Ma fe mor dene â llyngeren!' a ddywedir yn Dre-fach Felindre. Mae'r traethawd 'Tafodiaith Rhan Isaf Dyffryn Llwchwr' (1958) yn nodi *mwydyn y cefen* (*spinal cord*).

Ystyr wreiddiol *pryf* oedd unrhyw fath o anifail bychan ac mae hyn i'w weld o hyd mewn llawer o dafodieithoedd (*pry' llwyd*, *pry mawr*, *codi pry* etc.). Ystyr *genwair* yw ffon, neu gwialen bysgota, felly mae *pry genwair* yn cyfeirio at bry hir fel ffon, neu efallai yr un a ddefnyddir i bysgota. Mae'n bosibl bod *llyngyren* yn tarddu o **slenk-* 'ymdroelli'. ac mae'r cysylltiad rhwng y ddau yn ddigon amlwg. Ceir *slango* mewn Uchel Almaeneg am neidr. Rhan feddal rhywbeth yw ystyr wreiddiol *mwydyn* ac mae'n debyg mai dyma sut y cafodd y trychfil bach yr enw hwnnw.

Moch coed – *pine-cones*

Moch coed yw'r term trwy Gymru benbaladr, gyda'r ynganiad *moch côd* yn y De. *Moch y côd* yw 'woodlice' mewn rhai ardaloedd yn y De, gyda rhai yn dweud *moch bach y côd* i wneud yn siŵr nad oes cymysgu rhyngddynt. *Mochod côd* yw'r lluosog, ond yn ardal Rhydaman clywyd *mochods* hefyd. *Mochyn coed* yw'r unigol. Yn ardal Penmachno nodwyd *gw-gw-gŵs* gan ddau aelod. Ymddengys bod *'little piggies'* ar lafar yn Saesneg Rhuddlan.

Mochyn daear (LGW 174a)

Broch oedd y gair mewn Cymraeg Canol ond ymddengys bod *mochyn daear* wedi disodli hwn yn gyfan gwbl erbyn hyn. Serch hyn nododd un mai dyma'r ffurf a ddysgir mewn un ysgol gynradd yng Nghaerdydd. Yr wyf i wedi clywed *pry llwyd* yng Ngwynedd, a chadarnhawyd hyn gan drigolion Llanrug a Phenmachno er yr ymddengys yn brin erbyn heddiw. Yr oedd yn ddigon cyffredin yn y Gogledd(-orllewin) yn LGW (1975). Ni nododd neb *mochyn bychan* a glywid gynt ym Morgannwg.

Y *du a gwyn* yw'r enw ymysg rhai helwyr yn ardal Trawsfynydd, ac efallai yma eto bod elfen o 'ddisodli tabŵ'. Bydd rhai yn y Gogledd yn dweud *bajar*, a phan holwyd pobol Môn ar gyfer LGW ni wyddent beth oedd gan nad oedd mohonynt ar yr ynys.

Y ffurf yn y Frythoneg oedd **brokk-* a pharhaodd hon, mae'n debyg, i'r Saesneg fel *brock*. Mae'n digwydd mewn enwau personol Cymraeg fel *Brochfael*, a hen enwau yng Ngâl fel *Brocchus* a *Brochius* (DLG). Mae tarddiad hwn yn anhysbys ac mae'n bosibl ei bod wedi'i fabwysiadu o iaith oedd ddim yn Indo-Ewropaidd. Y gair Celteg gwreiddiol oedd **tasgo-* a gwelwn hwn mewn enwau Celtaidd fel *Tasciouanos* (lladdwr moch daear). Dyma a roddodd yr enw Gwyddeleg *Tadhg* ac mae'n gytras â'r gair Almaeneg a welir yn *dachshund* (brochgi). Bu i'r Rhufeiniaid oresgyn y rhan fwyaf o'r tiroedd lle siaredid tafodieithoedd Celteg a pharhaodd y gair hwn ar ôl iddynt fabwysiadu Lladin gan roi'r gair tafodieithol Ffrangeg *taisson* a'r gair Sbaeneg *tejón*.

Mewn *daear* y maent yn byw, neu *ffau* yn ôl rhai, ond nid oes digon o wybodaeth i sicrhau dosbarthiad daearyddol y rhain. *Deyrydd* a glywais i ym Mhenrhyndeudraeth am y lluosog.

Mole – gwadd (gwahadden)/twrch daear (LGW 177)

Gwahadden yw'r ffurf arferol yn y De gyda *gwadden/gwaddod* yn digwydd yn gyffredin hefyd. Mae'n anodd gwybod a oes tueddiadau daearyddol cryf yn hyn o beth. Yr oedd y ffurf Frythoneg yn ymdebygu i **wodā*, a rhoddodd *goz* mewn Llydaweg modern a *goth* mewn Cernyweg Canol. O'r ffurf debyg y daeth y gair Gaeleg *famh* (a *fadh*), ac mae'n debyg mai o'r Bicteg (chwaeriaith fwy ceidwadol y Frythoneg) y daeth. Nid oes *gwaddod* yn Iwerddon felly, wrth i'r Aeleg ymledu yng ngogledd Prydain, manteisiol oedd mabwysiadu'r gair o'r iaith a oedd yn ildio iddi. Ni wyddys i sicrwydd o ble y daeth y gair hwn, er bod un ffynhonnell (IEW) yn cynnig mai o'r gwreiddyn PIE **wedh-* 'gwthio' y daw.

Twrch daear (*tyrchod*) yw'r ffurf yn y Gogledd oll. Serch hyn y ffurf 'ogleddol' a glywir ym Mwstryd ger Aberystwyth. Yr ynganiad yn y Gogledd-orllewin yw *twrch duar* tra mai *twrch dear* a glywir ym Mhenllyn. Arloesiad yw'r ffurf ogleddol ac mae'n bur debyg mai *gwadd* a ddywedid yno yn y gorffennol. Ystyr *twrch* yw 'baedd' neu 'fochyn', fel gyda'r Twrch Trwyth a'r Llydaweg *tourc'h*. Un cynnig (IEW, GPC) yw bod hwn yn deillio o wreiddyn PIE **twerk̑-* 'torri', efallai'n cyfeirio at ei dyrchu cyson.

Molehill – pridd-y-wadd

Yn Nyffryn Aman cafwyd *pridd-y-wadden* a hefyd *twmpyn gwadden*, tra mai *lwmpe gwahaddod* a gafwyd yng Nghapel Iwan a *twmpath gwahadden* yng Ngheredigion. Yn Sir Gâr nodwyd *tomen gwahadden* gyda *twmpath gwaddod* yn y Rhondda. *Pridd-y-wadd* sy yn Nhregaron. *Twmpyn* a nodwyd yn Wdig (Sir Benfro) a Threletert.

Twmpath twrch (*daear*) a geir yn ne Môn ac Eryri ac yn Llŷn. Yn Llŷn hefyd cafwyd *tocyn twrch daear*. Ym Methesda ac ym Môn cafwyd *pridd twrch*, a *swp twrch* yn Hiraethog. Y gair a glywais yn Llan(n)efydd (Llan+Nefydd) oedd *priddwal* ac mae hwn yn hysbys yn Nyffryn Conwy hefyd. Gallai hwn gynrychioli *pridd+gwâl*, neu ddadfathiad o *pridd(-y-)wadd* (GPC). Yn Llŷn a Thrawsfynydd cafwyd *tyrchau twrch daear*. Mae'r sefyllfa'n edrych yn ddigon cymysglyd yn y Gogledd.

Oonti twmp a nodwyd yn Saesneg Sir Faesyfed. Gweler hefyd y drafodaeth am *gwadd*.

Nosebleed

Yn y De dywedid rhywbeth fel bod 'ei thrwyn hi'n gwaedu'. Yn y Gogledd-orllewin dywedir bod rhywun yn cael *gwaedlyn* neu *gwaedlin*. Ym Môn efallai ei fod yn swnio'n debycach i *gwaetlin*. Gall *llin* ei hun olygu rhediad gwaed.

Pathew – *dormouse*

Prin yw'r rhai sy'n gyfarwydd â'r gair hwn erbyn hyn, a dim ond yn y Gogledd y mae cof amdano. Prinnach fyth yw'r bobol sydd erioed wedi gweld un. Mae newidiadau mewn amaeth wedi peri gostyngiad sylweddol yn y niferoedd, ac ychydig iawn o bobol sy'n gweithio yn yr awyr agored y dyddiau hyn. Serch hyn mae rhyw frith gof amdano yn Llŷn lle dywedir bod rhywun yn *ddiog fel pathaw* (ym Môn hefyd), neu'n *cysgu fel pathaw*. Yn Sir Ddinbych dywedir *yn dew fel pathew*.

Cofia un o'r De, tra'n byw yn y Gogledd, fynd ag un o'r plant mâs yn y goets ac i rywun lleol nodi ei fod *yn glyd ac yn gobog fel pathaw*. Ni wyddai beth oedd na *cobog* na *pathaw*. Yn y traethawd 'Tafodiaith Rhan Isaf Dyffryn Llwchwr' (1958) nodwyd *pathor/mathol*.

Mae tarddiad y gair hwn yn ansicr, ond un cynnig yw nad yw'n Indo-Ewropeaidd o gwbl ond ei fod yn deillio o air fel **pat-* 'troed', mewn iaith gynharach. Mae'n bosibl i hwn gael ei fabwysiadu gan yr Hen Ermaneg gan roi *paddock* 'llyffant' yn y Saesneg, a *patte* 'troed anifail' yn y Ffrangeg. Efallai bod y gair Gwyddeleg *pattu* 'ysgyfarnog' yn perthyn yma hefyd.

Pennill

Ymddengys mai gwrywaidd yw hwn i bawb yn y De (*y pennill* a *dau bennill*). Gwrywaidd yw hefyd yn ardal Machynlleth, ac yn y Gogledd-ddwyrain yn ardal Wrecsam a Phentrefoelas. Yn y Gogledd-orllewin benywaidd yw – *y bennill* a *dwy bennill* e.e. *cân di bennill fwyn i'th nain, fe gân dy nain i tithau*. Mae'n bosibl mai dylanwad y gair benywaidd *cerdd* sy'n gyfrifol am hyn.

Pillow(s) & pillow case

Yn anffodus ni chafwyd digon o atebion i ddod i gasgliadau cadarn am yr hyn sydd yn y tafodieithoedd. Ymddengys bod *clustog(au)* yn gyffredin o Fôn i Lyn Llwchwr. Yn Nyffryn Nantlle dywedid *cyfar clustog*, ond *cas clustog* yng Nglyn Llwchwr. O'r gair *clust* y daw wrth gwrs a gellir ei gymharu â'r gair Ffrangeg *oreiller*, sy'n dod o *oreille* 'clust'. Yn Eryri nodwyd mai ar gadair y gosodid clustog, nid ar wely.

Mae'r hen air brodorol *gobennydd* hefyd yn digwydd yn eang, o Bencader i Fôn. *Gobenyddion* yw'r lluosog, ac amdanynt ceir *cas*, neu *casyn* (Tregaron). Nodwyd yn Nhregaron bod y gair ar ei ffordd mâs ac y byddid yn dueddol o osgoi'r lluosog gan ddweud *sawl gobennydd*. Mae'r amrywiad *cobennydd* yn hysbys o Lŷn i Fôn, ac yn yr ardaloedd hyn mae'r gair *tudded(i)* yn gyffredin am y gorchudd. Nodwyd, yn y Gogledd-orllewin, bod *gobennydd* yn swnio braidd yn rhy debyg i *coban* (a'i luosog) 'gŵn nos', a chan fod cysylltiad â'r nos gan y ddau mae tueddiad i ddefnyddio geiriau eraill. O *go-+pen+-ydd* y daw a cheir y ffurf debyg *goubenner* yn y Llydaweg.

Gair arall sy'n gyffredin ledled y wlad yw *pilw* neu efallai *pulw* yn y Gogledd-orllewin. Yn Nhrawsfynydd y lluosog yw *pulws* a *cas pulw* sydd amdanynt. *Pilwod* yw'r lluosog yn Llandysul. Mabwysiadwyd hwn yn weddol ddiweddar o'r Saesneg, a'r tro cyntaf y gwyddom iddo gael ei ysgrifennu yn yr iaith oedd ym 1778. Mae *pilw* yn digwydd gyda'r geiriau brodorol mewn sawl ardal gyda mwy nag un yn nodi y byddant yn defnyddio'r ddau. Mae'n debyg bod y *pilw* modern yn wahanol mewn rhyw ffordd i'r hen glustog neu obennydd Cymreig. O'r Lladin y daw'r gair Saesneg *pillow* ac mae'n ymddangos mai tua'r drydedd ganrif y'i benthyciwyd o'r gair *puluinus*, o darddiad ansicr.

Plant drwg

Mae'r gair *mwrddrwg* (*mawrddrwg*) yn gyffredin yn y Gogledd o Lŷn i Sir y Fflint am blentyn bach annwyl o ddireidus. *Mwddrwg* yw'r ynganiad gan lawer. Bydd Gogs hefyd yn dweud *hen gena bach/hen gnawes* am blentyn sy'n ddrwg heb fod yn chwareus. Hefyd *coblyn* ym Mlaenau Ffestiniog. Lluosog *cena* yw *cnafon*, ond mae'r ffurf fenywaidd *cnawas* yn gryfach ac yn gasach o lawer. Gair am gŵn ifainc yw *cenau/cenawon* ac mae'n dod o'r gwreiddyn **ken-* 'tarddu' sydd i'w weld hefyd yn ***cen**edl* a *bach**gen***. Am ferch dywedid *sopan fach*, a *diawliaid bach* am giwed ohonynt. Gair arall yn y Gogledd-orllewin yw *stimddrwg* (*ystum+drwg*), ac mae hwn dipyn cryfach gydag awgrym o ddichell ynddo. *Stimrwg* yw'r ynganiad ym Môn. Yng Ngwalchmai bydd hogia drygionus yn mynd allan ac yn *dryca*. Bydd rhai yn y Gogledd yn *hel dryga* sef codi helynt o gwmpas y pentref.

Rhacsyn/Rhacsen neu *jiawl bach* a ddywedid ym Mhenfro, *'enyn drwg*, *cithrel bach* (Tŷ-croes, Sir Gâr), *gwas y dic*, *ribath* (Betws, Sir Gâr). Yn Dre-fach Felindre dywedid *gwalch*, *cenau bach drygionus*, neu *was y neidr*.

Postyn

Holwyd am luosog y gair hwn. Yn y Gogledd y lluosog arferol yw *pyst*, ond mae hwn i'w glywed yma ac acw yn y De yn ogystal. *Postion* yw'r lluosog arferol yn y De. Ym Methesda ac yn Llŷn dywed rhai *postia*.

Pry (WVBD 445)

Gweler hefyd y trafodaethau am *llyngyren* a *pry gweryd*. Enwau trychfilod yn ardal Bangor sy'n cynnwys y gair pry: *pry clistiog* (*clustiog*) (*earwig*); *pry cop* (*copyn*) (*spider*), *pry cannwyll/pry teiliwr* (*daddy longlegs*), *pry twca* (*woodlouse*).

Pry gweryd, robin y gyrrwr (WVBD 183)

Hen bryfyn bach annymunol ydy *Robin (y) gyrrwr* sy'n gallu gwneud i wartheg bystodi (rhedeg yn wyllt) yn ystod yr haf, ac mae'n poeni ceffylau hefyd. Pan fydd yn brathu pobol gall y rhan o'r corff a effeithiwyd chwyddo'n enbyd. Bydd yn dodwy ar goesau gwartheg ac wedyn bydd y cynrhonyn yn tyllu dan y croen nes cyrraedd y cefn. Mae wedi ei ddifa o'r wlad ers y 1960au. Cyn hynny, peth cyffredin ar ddiwrnod poeth, clòs oedd gweld gwartheg yn rhedeg o'i flaen efo'u cynffonnau yn syth i fyny i'r awyr yn 'stodi'. Yn ardal Bangor gan mlynedd yn ôl defnyddid *gweyrod* ar gyfer y cynrhon eu hunain. Nodir yma mai at *gadfly* y cyfeiria ond heddiw y *warble fly* a olygir. Yn y De *Robin* ar ei ben ei hun a ddywedir.

Pull faces (GDD 71, WVBD 347)

Holwyd am blentyn yn tynnu ystumiau pan fo'n ddig neu'n pwdu. Mae llu o dermau, yn enwedig yn y De. Dechreuaf felly gyda'r Gogledd. Mae *tynnu stimia* yn gyffredin iawn, gyda *gneud stimia* yn arferol yn y Gogledd-orllewin. Gall plentyn wneud *gwynab tin* ym Mhwllheli, neu gall *guchio* (*to frown*). Yn Nwyfor dywedir bod rhywun wedi *dwyn ei chaws hi* neu fe ellir gofyn *pwy sydd wedi buta dy gaws di?* Ceir *tursio/tirsio* neu *edrych yn dirsiog* neu *yn dirsia i gyd* yn Llŷn. Yma hefyd gall plentyn *edrych yn biwis* (*peevish*), neu gall *fingamu* (*gwefus* yw *min*). *Tynnu gwyneb* yng Nghonwy a *gneud stymantie* ym Mhenllyn a de Sir Ddinbych. Yn Rhos a'r cyffiniau gellir dweud *Ma' golwg iwchwr mwrdwr propor arni hi!*. Ym Môn ac Arfon byddir yn *gneud migmans, migmas* neu *migmars,* gyda *migmwns* ym Mlaenau Ffestiniog, a *mimos* yng Nglyn Ceiriog. Mae *gwgu* (*to frown*) yn digwydd yn y Gogledd a'r De, gyda *gwgan* yng Ngheredigion.

Yn ardal Tregaron ac Eglwyswrw bydd plant yn *tynnu siapse, tsypse* ym Mrynaman. Yn Aberteifi byddir yn *gweitho siape* neu *neud ciche.* Byddant yn *neud jibs* yn Rhydaman, ac yn *tynnu jibs* yng Ngwauncaegurwen a Llanelli. Yn ne Ceredigion byddir yn *gwneud cwpse* a bydd person yn *gwpsog,* a gellir *dangos cwpse* yn Llandysul. Yng Nghlydau gellir gwneud *cuche* (lluosog *cuwch*) ac ym Mhencader *neud swache. Jibo* a *wepan* y bydd plant Glyn Llwchwr, ac yn Llandysul byddant yn edrych yn *bwpsog.* Yng nghanol Ceredigion gellir *gneud* neu *dynnu cymyche. Nithir clyma* (gwneuthur clymau) yn y Rhondda, *neud clyme* yn Sir Gâr a Cheredigion, gyda rhai yn dweud *cleme. Gwneud smante* yng ngogledd Ceredigion, ond nodwyd bod *neud cymyche* ar yr wyneb a bod *symante* yn cynnwys mwy o'r corff. Yng Nghwm Tawe dywedir bod *wep* arni, a byddir yn dweud *gad dy wep* wrth blentyn pwdlyd ym Mrynaman. Yn Abertawe holid *beth yw'r cewcs 'na?,* a cheir *mosiwns* yng Nghapel Iwan (ac yn Nolgellau). *Tantrum* yw ystyr *stimie* yn Llanybydder. Mae'n debyg bod *smante* (Tal-y-bont) yn perthyn i *symante* y Gogs. *Tynnu tsiopsys* gan hen bobol yn Llanelli. Yn Sir Benfro *cwmpse, cleme, siapse, swache, tsiopse.* Mae'n amlwg bod cryn dipyn o waith i'w wneud er mwyn canfod ble yn union mae'r holl ffurfiau hyn ar lafar, a hefyd beth yw'r mân wahaniaethau rhyngddynt oll.

Nid yw tarddiad *cuwch/cuchiau* yn hysbys, ond mae'n debyg mai dyma a welir yn Afon Cuch efallai yn cyfeirio at ystumiau ynddi. Ansicr yw tarddiad *ystum* hefyd ond fe'i gwelir yn y Llydaweg fel *stumm* (golwg, ffurf).

Pwdu (WVBD 377)

Pwdu yw'r gair arferol yng Nghymru gyfan. Yn Sir Gâr a Cheredigion gall plentyn fod *yn 'i bwd.* O Ddinas Mawddwy i Benllyn i'r Gogledd-orllewin *monni* yw'r gair arferol, gyda'r ddau uchod yn hysbys yn Nyffryn Conwy. Nodwyd *monni* ym Mangor hefyd ganrif yn ôl, ond yn rhyfedd iawn ni ddigwydd *pwdu* yng nghampwaith Fynes-Clinton. Yn y Rhos gallai merch fach fod *yn 'i mon* (byth *monni*) ac yn Llandderfel *wedi monni'n bwt.*

Bydd Gogs pwdlyd hefyd yn *llyncu mul.* Yn y De ceir *jibo* yn Llansadwrn, ac *yn ei chwdyn bwyd* (Y Betws, Sir Gâr). *Yn 'i siambar sorri'* y bydd rhai ym Môn, Arfon a Llŷn. Yn Sir Ddinbych bydd plant yn *mulo.* Gall merch bwdlyd yn Eifionydd fod *â'i phen yn ei phlu, 'di pwdu'n lân* neu *'di sorri'n bwt.* Dichon mai ffurf ar *pwd* yw *bwt.* Ym Mlaenau

Ffestiniog gall plentyn fynd i *ogof y pwd*, ac *yn ei stymps* yng Nglynceiriog. Yn y De gellir dweud *Ma crôn ei thin ar ei thalcen*, a cheir hynny yn y Gogledd hefyd gan ynganu *croen*. Yng Nghwm Tawe sonnir am *Sioni moni brica moni*.

O'r Saesneg *to pout* y daw *pwdu*, a dim ond ym 1722 y'i gwelwyd wedi'i ysgrifennu am y tro cyntaf yn y Gymraeg. Ni wyddys o ble daeth *monni*, a dim ond ym 1622 y gwelwyd hwn ar glawr.

Raspberries

Mafon yw'r gair arferol yn y Gogledd ac yng Ngheredigion. Yng Nglyn Ceiriog a Rhydymain dywedir *mafon cochion*, ac mae hwn yn hysbys yn Nhrawsfynydd hefyd. Tybed ai dyma a ddywedir ym Maldwyn, rhwng y ddau. Yng Nglyn Ceiriog ac yn ardal Wrecsam dywedir *mafon duon* am *mwyar duon*. Mae'n bosibl bod hwn yn cadw hen ystyr y gair, sef rhywbeth fel *yum-yum* (gweler y drafodaeth am *syfi/mefus*). Ni nododd neb ffurf unigol.

Mae *rasbri(s)* yn gyffredin hefyd, o Drawsfynydd i Sir Gâr, ac yng Nglynllwchwr nodwyd *rasbêris* gyda llafariad y goben yn hir. Yn Nhŷcroes (Sir Gâr) ceir *rasberen* a *rasberis*.

Yn Llangeitho nodwyd *afan gochon*, gydag *afans* yng Nghwmtawe a Morgannwg. Ym Morgannwg cafwyd y ffurf unigol *afansen*. Mae tarddiad y gair hwn yn anhysbys ond tybed a oes rhyw gyswllt â sillaf gyntaf ***mafon***.

Sgimio, dic-dac-do

Yn y Gogledd-orllewin y term am luchio carreg ar hyd wyneb dŵr fel ei bod yn bownsio'n isel yw *sgimio dŵr*. *Dic-dac-do* a ddywedir yn Llandybïe a Llanelli.

Sgiw, setl, sgrin

Ymddengys bod tri gair cyffredin am y dodrefnyn hwn. Gair y De i gyd yw *sgiw*. O Fachynlleth i Fôn a draw i Sir y Fflint y gair yw *setl*. Ond mae 'na ardal o Benllyn i Hiraethog lle dywedir *sgrin*, gyda'r ddau yn hysbys yn Nyffryn Conwy. Yng Ngwalchmai mae *bainc gefn uchel* yn hysbys.

Yn y Rhondda gellid dweud *ma'r sgiw acha sgiw* (*the bench is askew*). Yn Aberteifi mae'r rhigwm hwn yn hysbys: Ble ti'n byw? Dan sgiw. Pa sgiw? Sgiw bren. Pa bren? Pren sych. Pa sych? Sych y môr. Pa fôr? Môr pysgod. Pa bysgod? Pysgod tal. Pa dal? Dal dy dafod. Pa dafod? Tafod buwch. Pa fuwch? Buwch y rhos. Pa ros? Rhos y gwair. Pa wair? Gwair sych. Pa sych? Sych dy din!

Showing off

Dangos ei hun yw'r ymadrodd arferol yn y Gogledd er bod y cyfieithiad llythrennol *dangos i ffwrdd* yn digwydd hefyd. Gellir *jarffio* yn Llŷn neu ddweud bod rhywun yn *rêl jarff.* Yn Eryri gellid dweud bod rhywun yn *geiliog dandi* neu *ffesant,* neu ei fod yn *swagrio.* Ym Môn *pen bach* yw rhywun fel hyn.

Yn Nyffryn Teifi sonnir am *sbeng,* a bod rhywun yn *llawn sbeng,* a dywedid wrtho *gat dy sbeng!* Mae *showan off* yn digwydd hefyd, ac yn Llandysul gall rhywun fod yn *fi fawr* neu gellid dweud bod *lot o seiens 'da fe.* Yn y Rhondda bydd *ffwlcyn* yn *ffwlffacan* a *dwlbyn* yn *dangos 'i hunan.*

Sir Fôn Fawr a Sir Fôn Fach

Sir Fôn Fach yw'r hyn a ddefnyddia pobol canol a gogledd yr ynys am ardal Llanfairpwll a Phorthaethwy gyda'r awgrym nad yw'r bobol yn Fonwysion llawn oherwydd eu cysylltiad ag Arfon.

Slipper

Yn weddol ddiweddar y mabwysiadwyd y gair hwn o'r Saesneg ac efallai nad yw ei amrywiol ffurfiau wedi setlo'n llwyr eto. O ran y ffurf unigol nodwyd *slipersen* yn Nhrefor a Thregaron, a *sliperen* yn Eglwyswrw.

Yn y lluosog y ceir y mwyaf o amrywio, heb lawer o gysondeb daearyddol yn ôl yr atebion a gafwyd. Ceir *slipers* ym Mhenfro a Chapel Newydd, *slipyrs* ym Mhencader a Thregaron. Digwydd *sliperi* yn Llŷn ac Eglwyswrw. Mae geiriau ag *e* yn y sillaf olaf (sliper) yn dueddol o ddenu'r terfyniad lluosog *-i.* Ceir *slipars* yn y Blaenau, Môn a Llansadwrn y De. Cofiwch nad yw (oedd ?) y Gymraeg yn caniatáu *y*-dywyll (sain Cymru) mewn sillafau diacen, felly'r duedd yw ei newid am sain glir. Mae *slipas* yn gyffredin ym Môn, Arfon, Eryri, Dyffryn Clwyd, Corwen ac efallai mai hon yw'r ffurf fwyaf cyffredin yn y Gogledd. Yn draddodiadol, nid oedd *-rs* fel arfer yn dilyn llafariad mewn sillafau diacen yn y Gymraeg, e.e. *-ars, -ers, -irs* etc. felly mae'n swnio'n chwithig i glust Cymraeg a'r duedd yw colli'r *-r.* Ond efallai bod ynganiad ysgafn yr *r* yn Saesneg yn cyfrannu at ei cholli. Mae *-s* erbyn hyn wedi lled-gynefino yn y Gymraeg fel terfyniad lluosog. Ceir ynganiad mwy Cymraeg yn y Blaenau sef *slupas* ac yn Arfon nodwyd *slupas tŷ.*

Yn Nhre-boeth (ger Abertawe) defnyddid *llopan*, a nododd un y lluosog *llwpane* yn ardal Abertawe. Nodwyd hefyd mai dyma ydynt ymysg ffermwyr y De-orllewin: 'rhyw fath o sachau wedi eu clymu o gwmpas y traed i gerdded drwy'r cagle!' I'r rheiny ohonoch sy'n gyfarwydd â'r Mabinogi dyma sydd am draed Pwyll pan fo wedi'i wisgo fel cardotyn yn llys Gwawl fab Clud (*Hadrian's Wall son of Clyde*): 'A bwrw y bratteu a'r loppaneu a'r yseil didestyl y amdanaw a oruc Pwyll.' (PKM, t. 17).

O'r Saesneg, wrth gwrs, y daw *sliper*, a daw hwn o'r Hen Saesneg *slypescoh* yn llythrennol *slip-shoe*, am eich bod yn ei llithro am y troed am wn i. O'r Wyddeleg *lópa* 'coes hosan, bacas' y daw *llopan* yn ôl pob tebyg.

Spangi

Y enw ym Môn am *spaniel*, a chlywir *yn wlyb fel sbangi* yn aml.

Spill

Y gair arferol yn y Gogledd-orllewin yw *tollti*: 'dw i 'di tollti'r gwin ar y bwrdd'. Yng Ngwalchmai nodwyd *tŵallt* ac mae'n ymddangos bod rhyw wamalu rhwng y ddau yma ac acw. Mae *colli* hefyd yn arferol – 'gollis i lefrith hyd y llawr' neu 'collodd hanner 'i goffi drost ei grys' (Môn). Gellir hefyd *troi'r coffi*: 'mi droth ei goffi hyd bob man' neu 'trois y gwpan/gwydriad'. Yn y Rhyl nodwyd *wedi towlu* ac ychydig yn fwy Seisnigaidd *towlyd drosodd* (Conwy), neu *tywall' drosodd/troi drosodd* (Bethesda). *Dowchel* (dymchwel) yw'r gair yn Rhos a Phonciau (ger Wrecsam).

Gair y De yw *sarnu*. Mewn gwirionedd *baeddu* yw ystyr y gair hwn ac mae'n ymddangos bod y defnydd am *to spill* yn deillio o frawddegau fel 'mae'r llâth wedi tipo a sarnu'r lle achos bod y cwpan wedi moelyd!' (Brynaman). *Syrnu* fyddai ynganiad Pontyberem ac ardaloedd eraill yn y rhan hon o'r byd. Yn y Rhondda dywedid 'dyma'r ddishgil yn moilyd a'r llath yn mynd dros y lle i gyd'. Gellir colli te yn Sir Gâr hefyd. Ystyr *sarnu* yw 'sathru', a daw o'r gair *sarn* sy'n golygu ffordd wedi ei chodi sy'n croesi dŵr neu gors.

Stroke (a cat)

Yng Nglyn Llwchwr nodwyd y gair *maldota*. Y ffurf *maldodi* a nodwyd o Benfro i Sir Gâr, gyda *rhoi maldod* yno hefyd. Yn ne Sir Gâr clywir *camol* (canmol) y ci, gyda *comoli* yn ardal Rhydaman. Yng Ngheredigion a Sir Gâr a Phenfro clywir *rhoi da bach*. *Rhoi(d) ô bach* yw'r term o Sir y Fflint i Feirionnydd ac yng ngogledd Ceredigion hefyd. Yn Llŷn ac Eifionydd byddant yn rhoi *mwytha* i gŵn yn ogystal. Yn Llŷn byddant yn *mwythioni.* I'r gogledd-ddwyrain o Gorwen i Hiraethog byddant yn *rhoi anwes* i gi.

Sweets (LGW 132, WVBD 131, GDD 128)

Dyma un o'r geiriau mwyaf dyrys ei ddosbarthiad yn *The Linguistic Geography of Wales* a bu raid wrth ddau fap i gyfleu'r amrywiol ffurfiau a'u dosbarthiad daearyddol anwastad. Y geiriau a gofnodwyd oedd *fferi(n)s, los(h)in(s), candi(s), pethau da* a *da da, minciag, swîts, cisys, neisis, cacen* a *taffi(n)s. Fferins* yw ffurf arferol y Gogledd. Yn Sir Frycheiniog ceir *candis.* Ym Môn cafwyd *pethau da* neu *da da.* Prif ardal *da da* yw Arfon, dwyrain Sir Ddinbych, Penllyn a rhannau o Faldwyn. Yn bennaf yn Ardudwy a Phenllyn y digwydd *minciag.* Ym Maldwyn digwydd *cacen* gyda geiriau eraill yn ogystal. Yng ngorllewin Sir Benfro cafwyd *neisis.* Yng ngogledd Ceredigion ceir *cisys,* a cheir *taffi(n)s* yn ardal Llwchwr, Tawe, Nedd. *Loshin* yw'r ffurf arferol i'r de o Afon Aeron. Nodwyd bod *swîts* yn dechrau disodli geiriau eraill mewn ambell i ardal.

Mae'r sefyllfa heddiw yn ddigon tebyg, er bod *swîts* yn parhau i ddisodli geiriau eraill. Ni nodwyd y ffurfiau unigol yn LGW felly holwyd amdanynt. *Fferen* yw ffurf unigol *fferi(n)s,* gyda *fferan* yn y Gogledd-orllewin. *Taffen* am *taffish, tyffen* yn Nelson. Sylwer mai *tyffish* sydd o gwmpas ardal y Betws yn Sir Gâr. *Losinen* am *losin.* Yn Llanrwst mae *da da* yn unigol ac yn lluosog, ond mewn ardaloedd eraill dywedir *da das* am fwy nag un. *Peth da* yw unigol *pethau da.*

Mae *minciag* yn hysbys o hyd yn Ardudwy, er ei fod yn ildio i eiriau eraill, fel i *da da* ym Mlaenau Ffestiniog. Yr oedd hefyd ar lafar ar dafodau hen bobol yn Nefyn a Phenmachno. Dywedir *switsen* yn gyffredin yn Sir Gâr gydag un yn nodi ei fod yn arfer meddwl 'taw pobol posh ôdd yn gweud losin!'. Mae *swît* yn gyffredin bellach ym Môn, ond o Gaergybi i Amlwch clywir *candi.* Rhwng Llŷn a Dyffryn Nantlle mae *jôu* yn gyffredin, gyda *jôusyn* hefyd yn digwydd am un, a *jôus* fel lluosog. O gwmpas Cilgerran a Llandudoch mae *cisen* a *cisys* yn gyffredin. Yn Nyffryn Banw, Llawryglyn a Llanerfyl ceir *cacien.* Ni nododd neb y gair *neisys.* Nododd un ei bod yn gwybod bod pobol Penrhyndeudraeth yn dweud *da da, fferins* a *minciag* a hithau o Dalsarnau yn dweud *minciag* yn unig, a dim ond Afon Dwyryd yn rhannu'r ddau le. Byddai rhai yn Arfon dweud *cnap* am *taffi. Cachu llygod* yw'r gair ym Môn am y melysion bychain gyda licorys y tu mewn a chôt o siwgr lliwgar amdanynt.

Daw *fferins* o'r Saesneg *fairings*, ac fe'i benthyciwyd i'r Wyddeleg hefyd fel *férín*. Gair oedd hwn yn wreiddiol am felysion a werthid mewn ffeiriau. Gallai *ffiryn* hefyd gyfeirio at unrhyw anrheg a ddygid o ffair (CELlDA 331) ac yn Nhregaron *ffeiryn* oedd yr arian i fynd i'r ffair. Daw *losin* o'r Saesneg *lozenge* a'i ystyr wreiddiol oedd teisen fach neu dabled danteithiol o siâp diamwnt (*lozenge*) i'w sugno'n araf yn y geg. O'r Saesneg hefyd y daw *candi*, a dyma, wrth gwrs, yw'r gair mwyaf arferol yn yr Unol Daleithiau. O *sugar candy* y daw ac mae hwnnw'n dod o'r Ffrangeg *sucre candi* sydd yn ei dro yn dod o'r Arabeg *sukkar kandi* (ODEE). Mae *pethau da* a *da da* yn weddol amlwg eu tarddiad a chymharer â *bon-bon* yn y Ffrangeg. O'r Saesneg *chow* (amrywiad ar *chew*) y daw *jôu* ac yr oedd yn gyffredin am damaid o dybaco hefyd. Daw *minciag* o *mint-cake*. Daw *taffi* o'r Saesneg *taffy* ond mae tarddiad hwnnw yn gwbl anhysbys. O'r Saesneg *kisses* y daw *cisys*, sef gair arall am *sweet* a gellir cymharu hwn â *kissing comfits* Shakespeare sy'n cyfeirio at swîts i wella anadl (OED).

Syfi, mefus

Am unwaith mae'r sefyllfa yn syml. Yn y Gogledd ceir *mefus*, a *mefusan* am un, os defnyddir yr unigol o gwbl. Yr unig gymhlethdod yw bod *strobri* a *strobris* bellach ar lafar yma ac acw hefyd. Yn y llyfr GEM (54) nodwyd yr ynganiad *meddus* yn nwyrain Maldwyn. Mae *dd* a *f* yn seiniau ffrithiol lleisiol ac felly'n ddigon tebyg i'w gilydd i ymgyfnewid yn aml mewn llawer o ieithoedd. Meddyliwch am y Cocnis sy'n dweud *breave* yn lle *breathe*. Nodwyd mefus mor bell i'r de â de Ceredigion. Mae'r gair *mefys* (ffurf wreiddiol *mefus*) yn perthyn i *mafon* '*raspberries*'. Y gwreiddyn yw **maf-* ac fe drodd yr *a* yn *e* dan ddylanwad yr *y* yn y sillaf olaf. Affeithiad ydy'r gair am y math yma o newid, pan fo un sain mewn gair yn ymdebygu rywfaint i un arall. Tywyll oedd tarddiad y **maf-* hwn, ond cynigiodd Celtegydd o Awstria mai o ffurf Frythoneg **ma-ma-* y daeth, rhyw ffurf Geltaidd debyg i *yum-yum*, ac mae hwn yn eglurhad credadwy iawn.

Yn y De y gair yw *syfi*, fel ag yn Cwm Syfïog ym Morgannwg. *Syfi gwilld* (*syfïan*) yw'r ynganiad yn y Rhondda, ond yn Sir Gâr *shifis (bach)* sy'n arferol, gyda *mefus* yn air ysgol a llyfr yn unig. Nododd un bod ffrind iddo o Borthyrhyd yn dweud *strobrîs* a ffrind arall o Bontyberem yn dweud *shifis* am y rhai gwyllt, a *mefus* am y rhai wrth y ford. Tybed ai cymryd y gair 'safonol' a wnaethpwyd am y pethau llai cyfarwydd. Yn y Rhondda nodwyd yr ymadrodd fel *syfïen ym mola hwch* am rywbeth fel *nouvelle cuisine* h.y. rhywbeth bach blasus ond na fyddai byth yn ddigon i lenwi bol. Cafwyd y canlynol yn nhafodiaith y cwm: 'Own i arfer byw gida'r boi hyn o Galisia ac odd e wrthi yn y gegin am oriau a'r pryd sbeshial gelsan ni wedyn fydda fel syfïan ym mola hwch - own i'n neud esgus mynd mas ac edyn prynu bag mawr o chips i lanw 'mola i'n dynn.' Ychwanegodd 'dwi ddim yn dweud *mefus* – dim ond *syfi* a *syfi gwilld.* Yn grwtyn own i'n crynhoi syfi gwyllt a gwerthu'r syfi rown tai teras y cwm mewn pwneti bach o fewn hambwrt, fel y fenyw 'na yn y sinema sy'n gwyrthu hufen iâ. Gwd blydi *earner* i grwt bach odd hwnna 'ed, ma rhaid gweud!' Yn Nhregaron mae *cinnin syfi* yn cael ei ddweud am 'chives', ond nododd un o'r brodorion mai 'dim ond *strawberries* glywais i erioed'. Mae *syfi* yn hen air sy'n gytras â *sub* mewn Hen Wyddeleg, *sivi* yn y Llydaweg a *sevi* yn y Gernyweg. Mae ansicrwydd dros ei darddiad gydag un llyfr yn meddwl ei fod yn deillio o iaith an-Indo-Ewropeaidd a GPC yn ei ddeillio o wreiddyn am 'wasgu (hylif) allan'.

Tatws, tato

Pan drafodwyd *tatws trwy'u crwyn* hanner can mlynedd yn ôl (LGW) cyfeirio yr oedd holwyr at datws a gâi eu berwi ar y fferm yn fwyd i'r anifeiliaid. Erbyn heddiw ystyr *tatws trwy'u crwyn* i'r rhan fwyaf yw '*baked potatoes*'. Yn wir cafwyd anghytuno mewn ambell i deulu lle dywedai'r gŵr mai '*baked potatoes*' oedd yr ystyr, ond taerai'r wraig (o gefndir amaethyddol) mai rhywbeth i fwydo moch ac ati ydoedd. Bwyd i anifeiliaid yw'r ystyr o hyd i lawer o amaethwyr o Fôn i Eryri. Nododd rhai mai *tatws popty* oedd '*baked potatoes*'. Yng Ngheredigion dywedir *tato* (taten, tatw) *drwy'r pil. Tato pob* medd rhai, a *tatws yn pobty* rai eraill. Yn Llangernyw nodwyd *tatws drwy crwyn* neu *tatws pob.* Ym Mlaenau Ffestiniog nodwyd *tysan drwy'i chrwyn* gyda'r sylw 'gwybod bod tysan yn unigol a chrwyn yn luosog!'. Cyfaddefodd un Cymro glân gloyw taw *jacet poteto* oedd ar dafod leferydd yng Nghapel Iwan, ac ym Môn nododd un iddi glywed *tatws siaced. Taten pob* oedd i fwy nag un a'r eglurhad am hyn oedd mai dylanwad y fan yn yr Eisteddfod oedd yn gyfrifol.

Bu holi hefyd beth oedd yr unigol a'r lluosog ac mae cryn amrywiaeth ar draws y wlad. O ran y lluosog *tatws* yw gair y Gogledd, *tatw* ym Môn, a *tato* yn y De. O ran yr unigol *taten* yw ffurf arferol y Gogledd, gyda *tatan* yn y Gogledd-orllewin wrth gwrs. Ond o Ddolgellau i Ryd-y-main i Arfon *tysan/tysen* yw'r gair arferol. Nododd sawl un (Dwyfor, Corwen, Dolgellau, Trefor, Dyffryn Conwy) bod *tatan* a *tysan* hefyd yn gyfarwydd. Mewn rhannau o'r De, fel Gorslas a Phontrhyd-y-fen, mae'r *a* gyntaf yn tywyllu ac felly cawn *tytan*. Yn ardal Machynlleth a gogledd Ceredigion y gair yw *twten*. Yn ne Meirionnydd ceir *twtan*. Ger Aberystwyth byddant yn dweud 'rho dwten yn dy geg!' wrth rywun sy'n rhy barablus.

Pan fydd tyllau mewn hosan, a'r cnawd gwyn crwn yn ymwthio allan, dywedir 'Ma' tato newy'n y golwg' (FWI 179) ac yn Llŷn 'mae gen ti datws newydd'. Mae amrywiadau ar hyn yn gyffredin o Geredigion i'r Gogledd.

Plicio tatws fydd Gogs fel arfer er bod pobol Betws Gwerful Goch yn eu *pilio* nhw. *Pario* tatws fydd pobol Meirionnydd tra bydd Hwntws yn eu *pilo*.

Pan fydd Gogs wedi berwi eu tatws byddant yn eu *gloyfi* (gloywi) – tynnu'r dŵr ac wedyn eu taro yn ôl dros y gwres gan ysgwyd y sosban i wneud yn siŵr na fyddant yn cydio yn ei gwaelod ac yn llosgi – er mwyn gwneud yn siŵr bod y tatws yn sych cyn eu bwyta. 'Gloyfwch y dŵr odd'ar y tatws ne mi fyddanw wedi mwyglo' (ardal Bangor – WVBD 384). *Gloywi* yw'r ynganiad arferol y tu allan i Arfon. *Drenio* a ddywed rhai, ond yn Llanberis cafwyd *dyfnu tatws*. Prin yw'r rheiny sy'n gyfarwydd â'r gair *mwyglo* (meddalu) am datws wedi mynd yn stwnsh gwlyb yn ddamweiniol. *Mynd efo'r dŵr* sy yn Arfon a Hiraethog, *mynd i ga(n)lyn y dŵr* sy yn Eifionydd. *Mynd drwy'r dŵr* a gafwyd yn y De.

Mae amrywiaeth mawr o eiriau am *mashed potatoes*. *Tato bwtsh* a ddywedir yng nghanol de Ceredigion, a *bwtsio tato* am y weithred. *Tato potsh* o Benfro i'r cymoedd. *Tatws* neu *tatw wedi stwmpio* ger Llambed, ond mae *mash* yn hysbys yno hefyd. Ym Mhontarddulais dywedir *ponjin* am *mash* (waeth beth fo'r llysieuyn), a *ponjo* yw'r ferf. Yn y Gogledd-orllewin a Hiraethog *tatws stwnsh* a *stwnsio tatws* sy'n arferol. Yn Eryri mae tatws wedi eu *mwtro* yn arferol, ac yn Llanbedrog nodwyd *mwtrin moron, mwtrin rwdan*. *Stomp* a geir yn y Bala gyda *stomp goch* am *stwnsh rwdan*. Yn Nefyn nodwyd *stwnsh rwdan* ond *mwtrin moron*. Yn yr Wyddgrug nodwyd *tatws stwnsh* ond *ponsh maip*. *Tatws stwmp* sy yn Llanerfyl.

Ym Mhenfro cleddir tatws dros y gaeaf mewn *cladd tato* (RhGG 49). *Tas datws* yw yn Abererch. Ym Môn *crawan* (crawen) yw'r gair am yr hyn a roddir dros datw neu garaints i'w cadw mewn pridd, gyda gwlydd tatws neu wellt drostynt.

Yn Llŷn mae *pen tatan* yn golygu rhywbeth tebyg i *ben dafad* gwirion! Ym Môn dywedir *tatan yn y nyth* am blentyn siawns amlwg mewn teulu.

Teledu

Pan oeddwn i'n tyfu i fyny yn Llanfairpwll yn y 70au *teledu* oedd un o'r geiriau hynny yr oedd eisiau bod yn ofalus wrth ei ddefnyddio rhag ofn i bobol feddwl eich bod yn posh, a gwell oedd defnyddio *telifizhyn*. Tybed ydi agweddau wedi newid erbyn hyn gyda mwy o blant mewn addysg Gymraeg, rhywbeth sy'n normaleiddio geirfa newydd. 'Blend' yw'r gair *teledu*, sy'n deillio o ***tele****vision* a *darl****ledu***. 'Mae'r gair Saesneg wedi ei fathu o'r gair Groeg *tele-* 'pell' a'r gair Saesneg (o'r Ffrangeg) *vision* 'golwg'. Pan benderfynodd siaradwyr Cernyweg atgyfodedig fathu gair cyfieithwyd yr elfennau hyn gan roi *pellwolok* (pellolwg). Un peth nad yw'n syndod yw nad yw *teledu* hyd yn hyn wedi datblygu lluosog safonol. Yr wyf wedi clywed *teledyddion* yn cael ei ddefnyddio mewn cyd-destunau digon uchel-ael, ond lluosog *teledydd* yw hwnnw mewn gwirionedd. *Setiau teledu* a glywir yn y Gogledd-orllewin.

Y cwestiwn arall a holwyd oedd sut i ddweud *switch on* a *switch off*. Cofiaf i'm hathro Cymraeg nodi y byddai hen bobol ers talwm yn dweud *agor* a *cau y television* ond chlywais i erioed mo hyn, yn anffodus. Yr hyn a gafwyd yng Ngheredigion oedd *troi 'mlân* a *troi bant*. Yng Nghwm Gwendraeth nodwyd y gorchmynion *swits e arno!, swits e bant!* neu *tro fe arno, tro fe bant*. Yn Llanddewi Brefi nodwyd yr ynganiad *telifizhon*, ond *telifishon* i'r hen bobl, h.y. nid yw'r *z* Saesneg eto wedi llawn ymsefydlu yn y dafodiaith. *Troi hi mlaen, troi hi bant/off* a nodwyd yma. Yn Llandudoch ychwanegwyd *diffod*.

Yn y Gogledd mae cymysgedd tebyg. Yn Llŷn nodwyd *rhoi'r teledu on/ymlaen*, a'i *ddiffod* wedyn. Trosiad o fyd tân a golau yw *diffodd* wrth gwrs, ond mae'n ddiddorol nodi mai dim ond un nododd y byddai'n *cynnau'r* teledu. *Rhoi'r teledu ymlaen/i ffwrdd* a wneir yn Llansilin a Llanuwchllyn. Rhaid i mi gyfaddef mai *rhoid on* a *rhoid off* a ddywedwn pan oeddwn yn ifanc neu efallai *rhoid ymlaen* ac *i ffwrdd*, ond mae bellach yn demtasiwn defnyddio'r ffurfiau mwy Cymreigaidd *cynnau* a *diffod*.

Tomcat

Yn y Gogledd y gair yw *cath wrw* (cath wryw), gyda *cath fanw* am yr un fenywaidd.

Yn Nhregaron, Llangeler a Phencader y gair yw *cwrci*. Y lluosog yw *cwrcwn*. Mae hwn yn ddiddorol oherwydd nid oes a wnelo'r gair ddim â *ci*. O'r gair Saesneg am gath wryw y daw, sef *Corky*. Meddyliwch am *Corky the Cat* yn *The Dandy*. *Cwrcyn* a geir yng ngorllewin Sir Gâr a Sir Forgannwg. Ffurf wedi'i Chymreigeiddio gyda'r terfyniad *-yn* yw hon. Cafwyd *twm pws* (**Tom** cat) yn y Betws (Sir Gâr). Ym Mhencader ceir *cwrcath* sydd yn gyfuniad o *corky+cath* ond dichon gyda'r llafariad gyntaf dan ddylanwad y gair *gŵr*. Yma bydd cathod yn *cwrcatha*. Mae GPC o'r farn taw cyfuniad o *gŵr+cath* yw *cwrcath*, a'i ffurf fachigol *cwrcathyn*, ond nid eglurir pam nad oes treiglad yn yr ail elfen.

Targazh a geir yn Llydaweg sy'n cyfateb i *tarw+cath*. Dywed ODEE mai o nofel a gyhoeddwyd yn 1760, *The Life and Adventures of a Cat* (o'r enw Tom) y daeth *tomcat*.

Trafferth

Y draffe(r)th a ddywedir fel arfer yn y Gogledd, gyda *traffath* yn y Gogledd-orllewin. Hynny yw, gair benywaidd yw, ond mae nifer yn nodi mai *traffath* ***mawr*** a geir, sef ei fod yn ymddangos yn wrywaidd yma gan nad yw'n treiglo'r ansoddair. Ymddengys hyn yn debyg i *y boen* ond *poen mawr*, sy'n gyffredin yn y Gogledd. Mae'r ymadrodd Beiblaidd *Martha drafferthus* (Luc 10 ad. 38-42) yn hysbys i lawer.

Trash, brwgaits

Y gair yn y Gogledd-orllewin am ddryswch o ddrain a mieri ac amryfal blanhigion blêr yw *brwgaits* (Saesneg 'brockage'). Yn y De *trash* a ddywedir.

Trên (WVBD 542, LGW 235c)

Ymddengys bod rhyw wamalu ynghylch cenedl y gair hwn. Yn y Gogledd-orllewin bydd rhai yn dweud *dwy drên*, ond nodwyd y byddent yn dweud *y trên*. Mae'n ddiddorol y cafodd y gwamalu hwn ei gofnodi ym 1911 yn ardal Bangor (WVBD) gyda rhai yn dweud *dau drên* ond un yn dweud *dwy*. 'Mae *hi'n* dŵad' a ddywedai pawb. Mae'r LGW yn nodi bod *dwy drên* yn hysbys yn y Gogledd-orllewin oll o'r Rhyl i'r Bala i Borthmadog.

Troed (WVBD 548, LGW 234a)

Mae *troed* yn air diddorol ac yn un cyfoethog ei briod-ddulliau. Gwrywaidd oedd yn wreiddiol ac felly y mae o hyd yn y Llydaweg. Meddyliwch er enghraifft am *stôl* ***drithroed***. Os edrychwch ar LGW gwrywaidd oedd i'r de o ardal Dolgellau (*dau/dou droed*), ond erbyn hyn noda pawb bron mai benywaidd yw. Yr unig le lle cafodd ei nodi'n wrywaidd o hyd oedd Glynllwchwr lle cafwyd *dou drôd*. Yr wyf i'n gyfarwydd â *dau droed* ym Môn.

Troed/traed yw'r ynganiad arferol yn y Gogledd. Yn y De ceir *trôd/trâd* ond yn Sir Benfro *trwêd/trâd*. Mae amrywiadau eraill ond ni chawsant eu nodi yn ystod y trafodaethau.

Yn ardal Bangor (WVBD) nodwyd y canlynol ar *flaena y trad* (*on tiptoe*), *cefn y troed* (*instep*), *traed clapia* (*club feet*), *troed fflat wadan* (*flat feet*), *traed blaen* (*fore feet*), *traed ôl* (*hind feet*), *troi/streifio'r troed* (*sprain foot/ankle*), *gyrru 'i droed o'i le* (*to disclocate the foot*), *codi ar 'i draed* (*to stand up*), *colli 'i draed* (*to stumble*). *Rhowch ych troed arno fo* ydi '*let bygones be bygones*', *mynd yn draed moch* yw '*go to rack and ruin*', *sgwennu fel traed brain* sydd gan rai. *Troed fforch, caib, mwrthwl* a ddywedir hefyd, er bod *coes* yn cael ei ddefnyddio am y rhain hefyd. Yng Nghapel Iwan yn Sir Gâr nodwyd bod y lluosog *trade* hefyd ar lafar, ac y byddid yn dweud *tradwns* wrth blant. Ym Môn wrth roi ordors i beidio cerdded ar, e.e., concrit gwlyb, carped newydd, gardd newydd ei hadu neu unrhyw le delicet dywedid 'dyro dy draed dan dy gesail'. Yn Dre-fach Felindre *bracso trâd* yw rhoi'r traed yn unig i mewn yn y môr, *rhoi trâd yn tir* yw symud yn gyflym. Yn y Gogledd *gwynt traed y meirw* yw gwynt oer o'r dwyrain. Yr arfer Gristnogol oedd claddu'r meirwon â'u traed yn wynebu'r dwyrain.

Twym, poeth, cynnes

Poeth: Yn y Gogledd golyga *poeth* rhywbeth a fyddai o dymheredd uchel, bron yn ddigon i losgi neu i beri poen sylweddol o leiaf. Gall rhywbeth *boethi*, fel dŵr yn y *teciall*. Gall sefyllfa neu ddadl *boethi* (*heat up*) hefyd. *Dŵr poeth* yw *heartburn*. Nid yw *poeth* ar lafar yn gyffredin yn y De dim ond mewn ambell ymadrodd fel *gast boeth* neu *poethwynt* yn Llanddewi Brefi yn gofyn ci – *gast sy'n bôth* yn Dre-fach Felindre. Digwydd mewn enwau lleoedd fel Tre-boeth a Phentre-poeth. Mae'n bosibl bod y rhain yn cyfeirio at anheddau a losgwyd.

Twym yw gair arferol y De am '*hot*'. Er nad yw'r enw *twym* ar lafar bellach yn y Gogledd mae'r ferf *twmo* (twymo) yn gyffredin – 'tyd at y tân i dwmo'. Gellir *aildwmo* bwyd hefyd ac felly bydd yn *eildwym*, fel cawl *eildwym*. Gall gwair mewn sied yn Uwchaled *dwmo* hefyd. Mae'n ymddangos bod *cnesu* (cynhesu) a *twmo* ill dau yn gyffredin am '*to warm up*'. Efallai y gallai rhagor o holi daflu goleuni ar ddosbarthiad daearyddol y ddau. Yr unig eithriad a gafwyd oedd i rywun o Langernyw nodi bod *twym* yn hysbys yno, ac mae hyn yn cyfateb i nodyn o 1914 (LLG 279) ei fod ar lafar yn Sir Ddinbych.

Yn Nhŷ-croes yn y De nodwyd bod *twym* yn golygu '*warm*' a '*hot*' ond bod *cinnes* yn golygu '*warm*' yn unig. Yma, dim ond yn yr ymadrodd *dŵr po'th* am *llosg cylla* y digwydd *poeth*. Ychwanegwyd 'byddwn i'n cadw'n dwym neu gadw'n gynnes ond dim ond twym yw fflam. Mae'r tywydd yn gallu bod yn gynnes ond dim ond yr haul sy'n dwym. Ma' ast yn dwym 'efyd. Pishyn twym 'efyd.' Ar y llaw arall yn Sir Benfro *twym* yw '*warm*' a *pŵeth* yw '*hot*'. Yn Llambed ceir *tywydd/gwaith/dŵr twym*, ond *gast boeth*.

I'r rhai ohonoch sydd wedi astudio Branwen (Bendigeidfran, bellach) efallai eich bod yn cofio i Efnisien daflu ei nai, Gwern, i'r tân a'i fod yn 'boeth' yno. Yr ystyr yma yw 'llosgi' a dyma oedd ystyr y gair Llydaweg Canol cytras *poaz*. Erbyn heddiw ystyr *poaz* yw 'wedi'i goginio'. Daw hwn o hen, hen ffurf Indo-Ewropeaidd tebyg i **pok^{w}-to-*, a chredwch neu beidio rhoddodd y rhan gyntaf *pobi* yn Gymraeg. Yn y Gelteg a'r ieithoedd Italig (Lladin, Osceg ac ati) ymdebygodd y gytsain gyntaf i'r ail gan roi **k^{w}ok^{w}-* ac yn y Gelteg trodd **k^{w}* yn **p* gan roi **pop-*. Hwn a esgorodd ar *pob-i*. Beth bynnag, rhoddodd y gwreiddyn hwn y gair Lladin *coquō* 'coginiaf'. Ohono y daeth llu o eiriau fel *cook, cuisine* (o'r Ffrangeg), *kitchen, biscuit* (wedi'i goginio ddwywaith) a *precocious* (coginio/aeddfedu'n fuan). O'r ffurf Roeg *pepōn* 'aeddfed' y daeth *pumpkin*, ac o'r gair Sanskrit *pukva* (wedi'i goginio) y daeth *pukka*.

Yn yr Indo-Ewropeg yr oedd gwreiddyn **tep-* 'bod yn dwym'. Gyda therfyniad cafwyd **te(p)stu-* yn y Gelteg, sydd erbyn heddiw yn cael ei ynganu fel *tes* (gwres poeth yr haf). O roi *cyn-* o'i flaen cafwyd *cynnes*, gyda'r *t* yn ailymddangos (wedi'i threiglo'n *nh-*) o flaen yr acen yn *cynhesu*. Gyda therfyniad arall cafwyd **tepm-* a hwn a ddatblygodd yn *twym* dros filoedd o flynyddoedd. O'r Lladin cafwyd *tepid*.

Wasp

Er mwyn ceisio deall rhagor am y gwahanol eiriau am y pryfaid bach pigog (gweler *cacwn*) holwyd beth oedd *wasp*. Dyma'r atebion a ddaeth i law: *picwnen* Dyffryn Aman, *picacwnen* Llanelli, *cacwn* Dyffryn Clwyd, *wasp* (wedi'i ynganu fel Cymraeg) Dyffryn Aman, *gwenyn meirch* Llanrug. Collwyd y gair cytras â *wasp* ym mhobman ar wahân i Nantgarw lle cofnodwyd *cwffi*, sy'n ffurf lafar ar *gwchi* (< **woxs-* < **wofs-* < **wops-* [yn fras]). O'r ffurf Ermaneg *_wops-_ y daw '_wasp_' yn Saesneg, a _vespa_ yn Lladin (ac Eidaleg wedyn). Hwn a roddodd ei enw i'r sgwter Eidalaidd, oherwydd ei sŵn nodweddiadol.

Woodlouse – pry lludw, mochyn y coed etc.

Yn gyffredinol yn y De y ffurf yw *mochyn côd* gyda'r lluosog *moch (y) coed*. Yn Llandybïe cafwyd hefyd *mochyn **bach** y coed*. Byddai'r ffurfiau deheuol hyn yn debyg o beri penbleth i'r Gogs gan mai '*pine cones*' yw *moch coed* yno. Nodwyd *wiler y côd* yng Nglynllwchwr. Ceid *twrch-y-cwêd* yn ardal Cwm Gwaun (GDD 313) ond ni nododd neb hwnnw yn ystod y drafodaeth. Mae defnyddio enwau anifeiliaid cyffredin mawr yn drosiadol am rai llai yn rhywbeth cyffredin iawn ar draws ieithoedd, a gellir cymharu hyn â ***buwch** goch gota*.

Ceir *Pry lludw* ym Môn a Meirionnydd, gyda *gwrachan ludw* hefyd ym Môn tra mai ffurf yr Athro Bedwyr Lewis-Jones oedd *grachod lludw*. Cynigiwyd y gallai hwn ddeillio o 'corachod', ond byddai angen chwilio pellach i gadarnhau hyn. Yn Llŷn a Chaernarfon a Môn cafwyd *crachan ludw*. Nodwyd *pry tamp* yn Nyffryn Nantlle a *pry twca* yn ne Môn a Bethesda. Cyllell fawr drom yw 'twca', o'r Saesneg '*tuck knife*', felly mae'n amlwg nad yw hwn yn hen enw Brythoneg. Ond wn i ddim pam y cafodd yr enw hwn. Ymddengys bod cryn amrywio ar lafar erbyn hyn yn y Gogledd. Nododd un cyfrannydd o'r Gaerwen iddi ddweud *pry twca* wrth ei phlant tra'r oedd yn gwylio rhaglen ar *Cyw* ac iddynt hwythau ei 'chywiro' gan nodi mai *crachen ludw* a ddywedasai'r ddynes ar y teledu. Noda GPC *gwrachen y lludw* o 1869 a'r ffurfiau yn ardal Bangor ddechrau'r ganrif ddiwethaf (WVBD 189) yw *gwrach y lludw* a *gwrach y twca*. Ni nodir *crachen ludw* yn GPC ond ceir *gwrach y lludw* yn 1547 a gellir tybio mai amrywiad ar yr ail yw'r cyntaf.

Yn ne Sir Benfro ceir '*Penny Sow*', ac yn y cymoedd '*granny grey*'. Gellid cymharu '*granny*' â *gwrach* uchod. Yn yr Iseldiroedd *pissebed* a nodwyd gan sylwebydd o'r wlad honno a fedr y Gymraeg, a digon hawdd dehongli hwnnw gobeithio. Ni wn paham y parai'r fath drychfil ddamweiniau mewn gwely. Yn Nhreger yn Llydaw y gair yw *ur wrac'h*, gair sy'n cyfateb yn union i *gwrach* yn y Gymraeg. Cafwyd hefyd o'r wlad honno, heb nodi pa ardal, y ffurf *laou dar* (llau dâr/derw). Ystyr *gwrach* yw 'hen wreigan' a daw o'r un gwreiddyn â *gwraig* (**wrakkā* a **wrakū*).

Y dywydd, y tywydd

Y tywydd sy'n arferol, ond ym Môn mae *y dywydd* yn fyw ac yn iach, a chlywir y ffurf ym Methesda hefyd. O Fôn y daeth llawer o chwarelwyr Bethesda ac felly mae'r dafodiaith yn drwm dan ddylanwad y sir honno. Serch hyn, *tywydd mawr* a ddywed pawb. Mae'r rheswm dros y newid yn ansicr, ond efallai iddo ddigwydd oherwydd ein bod yn cyfeirio at y tywydd gyda'r rhagenw benywaidd – *mae **hi**'n braf, mae **hi**'n oer* ac ati.

Y lechen

Y rheol yn yr iaith safonol yw nad yw *ll-* byth yn treiglo ar ôl *y* (y fannod bendant), hyd yn oed os yw'r gair yn fenywaidd. *Y llechen, y llaw* sydd felly'n 'gywir', a dyma'n wir oedd yr arfer hanesyddol. Serch hyn mae greddf cysoni wedi peri newid yr arfer mewn rhai ardaloedd, yn sicr yn y Gogledd-orllewin. Cofiaf innau glywed cyn-chwarelwr o Lanberis yn dweud *y lechan,* a nodwyd y canlynol yn Nyffryn Nantlle: *torcha'r lawas yna!, y law, y lythyran, y lwynogas.* Nodwyd hefyd bod treiglo ar ôl 'yn' (*mae hi'n lancas*). Ym Mhenrhyndeudraeth mae *y lygad* yn gyffredin. Efallai mai'r rheol 'newydd' yn yr ardaloedd hyn yw bod *ll-* bellach yn treiglo pan fo'r gair yn fenywaidd.

'Yn fam i

Yn y Gogledd mae *fy* yn peri treiglad trwynol yn unig: *'y nhad i, 'y mhen i, 'y mam i.* Felly y mae hyd at Dregaron, ond yn bellach i'r de ymddengys mai treiglad meddal sy'n ei ddilyn: *'yn fam i* (fy mam), *'yn dad i* (fy nhad), *'yn frawd i* (fy mrawd), *'yn whâr i* (fy chwaer), *'yn fag i* (fy mag), *'yn rosyn i* (fy rhosyn) ac ati. Yn Llambed nodwyd *'ym mham i,* ond *'ym mam i* ym Mlaenau Morgannwg.

Mae Peter Wynn Thomas yn dweud bod y ffurf yn 'nodwedd ansafonol ar dafodieithoedd lleol gorllewin Morgannwg a dwyrain Dyfed' (GyG 257). Nododd un ei bod yn cael y teimlad ei fod yn lledu i Geredigion gan fod rhai pobl oedd yn yr ysgol gyda hi yn Llandysul yn y 70au wedi dechrau dweud *yn fam i* erbyn hyn er eu bod yn dal i fyw yng Ngheredigion. Roedd hi'n ei gysylltu â phobl o ardal Llanelli slawer dydd.

Ystlum (WVBD 495, FWI 137)

Yr unig ffurf a nodwyd ym Mangor gan mlynedd yn ôl oedd *slum/slumod* ond y ffurfiau mwyaf cyffredin a nodwyd yn Arfon a Sir Ddinbych, a ger

Machynlleth oedd *ystlum/stlumod*. Nodwyd *slimyn* yn Arfon yn ogystal, a'r ffurfiau yr wyf i'n gyfarwydd â hwy yn ardal y Fenai yw *slumyn/slumod*. Yn Rhos a Phonciau nodwyd mai *slum y nos* a ddywedid bob tro.

Ym Morgannwg nodwyd *sglemyn/sglemod*, ond yng ngweddill y De mae amrywiad diddorol sef *slimy(n) bacwn* (FWI 137). Cynigiodd un y dehongliad canlynol 'bacwn am eu bod nhw'n hongian â'u pennau i lawr yn edrych fel y pishys mawr o facwn oedd arfer hongian mewn ceginau 'slawer dydd, medden nhw'. Nododd ambell un arall yr amrywiad *slumy(n) baco*, sy'n edrych fel datblygiad o'r uchod a chafwyd y sylwad diddorol bod ystlumod sy'n clwydo yn edrych fel y clystyrau o ddail tybaco sy'n cael eu hongian mewn rhesi i sychu. Ond tybed a oes ystyriaeth arall yma gan fod y Saesneg *bat* yn deillio o'r ffurf Saesneg Canol *bakke*. Efallai wedyn i bobol uniaethu hwn â'r geiriau *bacwn* a *baco* am y rhesymau a nodwyd uchod.

Mae tarddiad *ystlum* yn gwbl anhysbys, ac ni ddigwydd ffurf gytras mewn unrhyw iaith Geltaidd arall. O ran y ffurf Saesneg *bat* gellir ei gymharu â *natbakka* (*'night bat'*) mewn Hen Ddaneg (OED). Daw'r gair hwn o'r gwreiddyn PIE **b^h^ag-* 'taro' felly mae'n debyg mai'r ystyr oedd rhywbeth fel *'flapper'*. Y term Llydaweg yw *askell groc'hen* 'asgell groen'. 'Llygoden foel' yw *chauve souris* y Ffrangeg. *Rat penat*, 'llygoden Ffrengig sy'n hongian' sydd yn y Gatalaneg. *Fledermaus* yw'r Almaeneg sef 'llygoden sy'n hedfan'. *Murciélago* sydd yn y Sbaeneg sy'n deillio yn y pen draw o'r geiriau Lladin *mūs caeculus* 'llygoden ddall.'

Ystreulio – rinsio, 'stre(u)lio

Yr oedd hwn yn air byw, ac yn un defnyddiol iawn, tan yn ddiweddar, yn Nwyfor o leiaf (BILLE 39). Dim ond un person a nododd *streilio* yn Llŷn. Mae'n ymddangos yn ddigon cyffredin yn Rhosllannerchrugog lle gellir *strelio dillad* a *llestri*. Fel arall ymddengys ei fod wedi mynd i ddifancoll bron iawn. *Rinsio* a geir yn y Gogledd a *rinso* yn y De. Mae rhai yn y Gogledd a'r De yn *swilio* eu dillad. Gwelwyd arwydd mewn garej yng Nghaerdydd yn cynnig golchi ceir gydag *ystreulio'r sebon* wedyn.

Diolchiadau

Dymunaf ddiolch i bawb isod am eich cymorth, eich brwdfrydedd a'ch chwilfrydedd. Mae gan y grŵp ryw 7,200 o aelodau erbyn hyn ac mae'n wych gweld bod cymaint yn cyfrannu. Fel y gwelwch mae cyfranwyr o bob ardal yng Nghymru, un o'r Wladfa, ac o wledydd eraill. Carwn ddiolch i Lynne Davies, Dylan Foster Evans, Huw Garan, Steve Hewitt, Lora Davies a Sara Bowen Oliver am gywiro a chynnig llu o welliannau.

Nodir yr ardaloedd fel y dewisodd y cyfranwyr eu nodi a chadwyd yn bennaf at ffurfiau'r enwau fel y'u rhoddwyd ar *Facebook*.

1. Aaron Wynne (Llanrwst)
2. Adam James Davies
3. Adam Jones (Dyffryn Aman)
4. Adrian Price (Dyffryn Aman)
5. Angela Grant
6. Angela Johnson (Rhydlewis)
7. Angela Jones (Cwrtnewydd)
8. Angela Jones (Llanrug)
9. Angela Russell (Llanbedrog)
10. Angharad Bowen-Holmes
11. Angharad Owen (Môn)
12. Alan Owen
13. Alan Richards (Pontardulais)
14. Alan Thomas (Ffostrasol)
15. Alaw John (Sir Gâr)
16. Alaw Môn Thomas (Môn)
17. Aled Francis (Penfro)
18. Aled Hughes (Môn)
19. Aled Jones (Llanybydder)
20. Aled Lewis (Capel Newydd)
21. Aled Thomas (Cenarth)
22. Aled Williams (Llithfaen)
23. Alexandra Hopkin (Gorseinon)
24. Alison Ellis (Caerfyrddin)
25. Alma Jones Davies (Nantlle)
26. Alun Ceri Jones (Gwaun Cae Gurwen)
27. Alun Llewelyn (Ystalyfera)
28. Alun Rees (Dyffryn Aman)
29. Alun Rhys Jones (Prestatyn)
30. Alwen Thomas (Ciliau Aeron)
31. Alwyn Evans (Rhyd-y-main)
32. Alwyn Jones (Llandderfel)
33. Ana Packer
34. Andrew Brown
35. Andy Enchilada
36. Andy Shurey (Abertawe)
37. Aneirin Hughes (Pont Rhydybeddau)
38. Anita Butler (Arfon)
39. Anita Myfanwy (Dyffryn Nantlle)
40. Ann Davies (Deganwy)
41. Ann Derec James
42. Ann Elizabeth Williams
43. Ann James (Penfro)
44. Ann Jones (Môn)
45. Ann Llangaffo
46. Ann Morris (Maenclochog)
47. Ann Plonka Lowther (Dyffryn Banw)
48. Ann Pritchard (Cwmgors)
49. Ann Richards-horgan (Cwm Nedd)
50. Ann Williams (Aberteifi)
51. Anna Gruffydd (Llŷn)
52. Anna Jones (Llŷn)
53. Anne Roberts (Bangor)

54. Annes Wyn Williams (Môn)
55. Annie Evans (Llambed)
56. Anthony Caradog Evans (Harlech)
57. Anthony Pritchard (Pontsticill)
58. Anwen Cullinane (Capel Iwan)
59. Anwen Edwards (Pen-y-bont ar Ogwr)
60. Anwen Eleri York (Caernarfon)
61. Anwen Evans (Colwyn)
62. Anwen Williams (Llandwrog)
63. Arfona Jones (Penmachno)
64. Aron Lewis (Brynaman)
65. Arthur Morgan Thomas (Penmachno)
66. Arwel Davies (Prion, Dinbych)
67. Awel Elias (Corwen)
68. Barri Moc (Caerffili)
69. Beca Brown (Dyffryn Ardudwy)
70. Bedwyr Davies
71. Beryl Williams (Drefach Felindre)
72. Beryl Wright (Llangennech)
73. Bet Lloyd Jones (Porthmadog)
74. Betsan Davies William (Pencader)
75. Beth Davies
76. Beth Hale
77. Beth Wright (Rhosllannerchrugog)
78. Bethan Antur (Penllyn)
79. Bethan Evans Roberts (Blaenau Ffestiniog)
80. Bethan Gwyndaf Davies (Y Ffôr)
81. Bethan Jones (Llanfairfechan)
82. Bethan Jones (Môn)
83. Bethan Mair (Pontarddulais)
84. Bethan Moseley (Dyffryn Nantlle)
85. Bethan Pari Jones (Blaenau Ffestiniog)
86. Bethan Russell Williams (Llanbedrog)
87. Bethan Watkin-Hughes (Môn)
88. Bethan-Catrin Roberts (Tregarth)
89. Bob Wyn Williams (Amlwch)
90. Bonni Davies (Cwm Gwaun)
91. Brad Jones (Conwy)
92. Branwen Gwyn (Dyffryn Ogwen)
93. Branwen Llewelyn Jones (Pontardawe)
94. Brenda Jones (Môn)
95. Bryn Daf (Aberystwyth)
96. Bryn Moseley (Caernarfon)
97. Buddug Angharad (Llanfachreth)
98. Buddug Hill (Llŷn)
99. Calan Mcgreevy
100. Calfyn Lewis Roberts (Blaenau Ffestiniog)
101. Cameron Kinnell (Môn)
102. Cara Llywelyn-Davies
103. Cari Haf (Porthmadog)
104. Carian Elen Roberts (Llŷn)
105. Carol Ann Lewis (Abercegyr)
106. Carol Byrne Jones (Castell Newydd Emlyn)
107. Carol Owen Jones (Llŷn)
108. Carol Thomas (Llŷn)
109. Caroline Murphy
110. Carwen Arlanymor (Llandudno)
111. Carwyn Lloyd-Jones (Castellnewydd Emlyn)
112. Carys Angharad Jones (Sir Gâr)
113. Carys Alun (Henllan, Llandysul)
114. Carys Edwards (Y Bala)
115. Carys Ellis
116. Carys Huw (Groes, Dinbych)
117. Carys Jones (Cynwyd)
118. Carys Mair Jones (Caerdydd)

119. Carys Owens (Blaenporth)
120. Carys Puw Williams (Y Bala)
121. Cat East Wood (Môn)
122. Catrin Aeron Williams-Jones (gogledd Ceredigion)
123. Catrin Elis Williams (Mynytho)
124. Catrin Glyn (Llŷn)
125. Catrin Johnson (Llandyrnog)
126. Catrin Llywelyn (Betws)
127. Catrin M S Davies (Trefenter)
128. Catrin Withers (Dyserth)
129. Catherine Peacock Leggett
130. Catherine Penrose (Cyffordd Llandudno)
131. Catherine Pritchard (Mynytho)
132. Cathi Parri (Sir Drefaldwyn)
133. Cathryn Rowlands (Abertawe)
134. Cathy Wood (Môn)
135. Cennydd Puw (Brynaman)
136. Ceri Gee (Aberdâr)
137. Ceri Llwyd (Llanfair Talhaearn)
138. Ceri Meredydd (Meirionnydd)
139. Ceril Rhys-Dillon (Tregaron)
140. Cerith Dafydd Rhys (Cwmgors)
141. Claire Eluned Price (Pontyberem)
142. Clynton Thomas Williams (Llŷn)
143. Colin Robins (Llanelli)
144. Craig Elis Ap Hari
145. Craig Hitchings (Pen-y-bont)
146. Curig Jones (Wrecsam)
147. Cynog Lewis (Penfro)
148. Charlotte Williams (Wrecsam)
149. Chris Grooms
150. Chris Rose-Thomas (Llanberis)
151. Chris Ware
152. Christine Hulmes (Blaenau Ffestiniog)
153. Christopher Griffiths (Castell Nedd)
154. Daf Dafis (Edern)
155. Dafydd ap Frank (Y Rhyl)
156. Dafydd Bevan (Dyffryn Aman)
157. Dafydd Dafydd Emyr (Môn)
158. Dafydd Hughes Lewis (Llanelli)
159. Dafydd Jones (Dyffryn Ogwen)
160. Dafydd Morgan (Capel Dewi)
161. Dafydd Morgan Lewis (Llangadfan)
162. Dafydd Price Jones (Bangor)
163. Dafydd Roberts (Llŷn)
164. Dafydd Whiteside Thomas (Llanrug)
165. Dafydd Williams (Ardudwy)
166. Dafydd Williams (Môn)
167. Dai Brain (Crymych)
168. Dai Evans (Brynberian)
169. Dai Hawkins
170. Daliah Raouf (Porthmadog)
171. Dan Morris (Porthmadog)
172. Daniel Prohaska
173. Darren Howatson (Yr Wyddgrug)
174. Darren Lewis
175. David James (Caernarfon)
176. David Roberts (Wrecsam)
177. David Walters (Aberdâr)
178. Dawn Chadwick
179. Debbie Hughes Adams (Penllyn)
180. Deborah Kent
181. Deborah Roberts (Caernarfon)
182. Dei Fon Williams (Môn)
183. Delwyn Davies (Harlech)
184. Delyth Davies (Blaenau Ffestiniog)
185. Delyth Harris (Aberteifi)
186. Delyth Phillips
187. Delyth Roberts (Rhos-lan)
188. Der Jones (Llansadwrn, De)
189. Deric Meidrum (Glynllwchwr)
190. Derrick Jones (Gwalchmai)

191. Dewi Erwan Humphries (Môn)
192. Dewi Evans (Y Bala)
193. Dewi J Morris (Dyffryn Dyfi)
194. Dewi Poole (Maldwyn)
195. Dewi Rhys-Jones (de Sir Benfro)
196. Dil Lewis (ardal y Bala)
197. Dilwen Walsh (Llandysul)
198. Dilwyn Williams (Llŷn)
199. Dilys Davies (de Ceredigion)
200. Dmitri Hrapof
201. Dorian Gray Williams (Môn)
202. Dot Bailey (Niwbwrch)
203. Dulyn Griffith (Dyffryn Nantlle)
204. Duncan Brown (Caernarfon)
205. Dwynwen Berry (Llanrwst)
206. Dwynwen Roberts (Llandudno)
207. Dyfed Evans
208. Dyl Mei (Porthmadog)
209. Dylan Bryn Robert (Nefyn)
210. Dylan Foster Evans (Tywyn)
211. Dylan Rhys Thomas (Capel Iwan)
212. Edward Howell Jones (Cwm Tawe)
213. Eifion Morris Jones (Llansannan)
214. Eifion Thomas (Llansilin)
215. Eilir Hughes (Corwen)
216. Einir Wyn (Niwbwrch)
217. Einir Young (Cwm-twrch)
218. Eira Parry (Moelfre)
219. Eirian Hughes (Môn)
220. Eirian Hughesbaines (Llanddoged)
221. Eirian Watcyn-Jones (Môn)
222. Eirian Wyn Roberts (Llanberis)
223. Eirianwen Blackford (Dinbych)
224. Eirlys Davies (Corwen)
225. Eirlys Howell Richards (Boncath)
226. Eirlys Ruhi Edwards-Behi (Porthmadog)
227. Eiry Palfrey (Ceredigion)
228. Elaine Williams (Llanymddyfri)
229. Elen Davies (Cwm Gwendraeth)
230. Elen Lowri Foulkes (Rhuthun)
231. Elen Medi Morgan (Caernarfon)
232. Elen Mererid Watt (Penllyn)
233. Elena Williams (Môn)
234. Eleri Ames (Clocaenog)
235. Eleri Cowt (Llŷn)
236. Eleri Huws
237. Eleri Rees Roberts (Llŷn)
238. Eleri Schofield
239. Eleri Sparnon Jones (Resolfen)
240. Elfed Griffiths (Môn)
241. Elfed Gruffydd (Llŷn)
242. Elfed Jones
243. Elin Davies (Capel Iwan)
244. Elin Ellis (Mynytho)
245. Elin Lowri James (Cilgerran)
246. Elin Llwyd Morgan (Môn)
247. Elin Maher
248. Elin Thomas (Llandysul)
249. Elinor John (Abertawe)
250. Elisabeth Jones (Nefyn)
251. Elisheil Howells (Aberteifi)
252. Elsei Hazell-Sims (Pontrhyd-y-fen)
253. Eluned Davies (Sir y Fflint)
254. Eluned Davies-Scott (Maldwyn)
255. Eluned Walters (Rhuthun)
256. Eluned Winney (Llandysul)
257. Elved Jones (Glyndyfrdwy)
258. Emlyn Evans (Llangeitho)
259. Emlyn Roberts (Môn)
260. Emma Hill
261. Emyr Gruffydd
262. Emyr Rhodri Hopkins (Llanelli)
263. Emyr Williams (Meidrim)
264. Ena Lloyd (Ceredigion)
265. Ena Woolford (Rhosllannerchrugog)

266. Endaf Emlyn (Pwllheli)
267. Enfys Elen Roberts (Llanrug)
268. Enid Mair Davies (Eglwysbach)
269. Erfyl Williams (Llanllyfni)
270. Erica Davies (Rhydaman)
271. Eryl Mair Lewis (Porthaethwy)
272. Eryl Rowlands (Amlwch)
273. Esyllt Edwards (Uwchaled)
274. Euros Llewelyn Roberts (Arfon)
275. Euros Llywelyn Roberts (Penygroes, Gogledd)
276. Felicity Roberts
277. Fellicity Roberts (Chwilog)
278. Flo Brady (Bangor)
279. Floyd Ab Siencyn (Y Rhath)
280. Francis Favereau (Llydaw)
281. Fulup Jakez
282. Ffion Emyr Bourton (Llanrwst)
283. Ffion Haf Hughes (Caernarfon)
284. Ffiona Jones (Cydweli)
285. Fflur Arwel (Caernarfon)
286. Fflur Ifs (Sir Gâr/Ceredigion)
287. Gaenor Roberts (Hiraethog)
288. Gail Barrington (Treamlod)
289. Gail Moore
290. Gareth Glyn
291. Gareth Gravell
292. Gareth Hughes (Bethesda)
293. Gareth Milton-Griffiths (Aberteifi)
294. Gareth Roberts (Corwen)
295. Gareth Rhidian (Castell Nedd)
296. Gareth Walters
297. Gareth Williams (Cwm Gwendraeth)
298. Garethlloyd Jones (Ystalyfera)
299. Gary Jones (Y Bala)
300. Gary King
301. Gary Pocock (Llanon)
302. Gaynor Eastwood (Dubai)
303. Geoff Jones (Llanbrynmair)
304. Geraint Davies (Sanclêr)
305. Geraint Diolchgar Dedwydd Parri (Dyffryn Nantlle)
306. Geraint Evans (Llŷn)
307. Geraint H Ashton (Dolgellau)
308. Geraint Jones (Bethesda)
309. Geraint Jones (Corwen)
310. Geraint Løvgreen (Wrecsam)
311. Geraint Owain Price (Yr Hendy)
312. Geraint Rees (Dyffryn Aman)
313. Geraint Roberts (Caernarfon)
314. Geraint Roberts (Ystradgynlais)
315. Gethin Clwyd (Wrecsam)
316. Gethin Jones (Pont-Siân)
317. Gill Stephen (Caerdydd)
318. Gill Walker
319. Gillian Burns (Glynceiriog)
320. Gillian Jones (Llanwenog)
321. Glan Thomas (Pwll Trap)
322. Glenda Jones (Capel Iwan)
323. Glenda Kinsey (Porthmadog)
324. Glenna Mair Jones (Blaenau Ffestiniog)
325. Glenys Owen (Llanberis)
326. Glenys Roberts (Môn)
327. Glenys Sturgess (Sir y Fflint)
328. Glenys Tudor Jones (Blaenau Ffestiniog)
329. Glyn Davies (Môn)
330. Glyn Ellis Hughes (Eifionydd)
331. Glyn Williams (Porthmadog)
332. Glynog Davies (Brynaman)
333. Gorwel Owen
334. Gorwel Roberts (Penrhyndeudraeth)
335. Greta Huws (Llanbedrog)
336. Gron a Bet Richards (Y Bala)
337. Guto Jones (Capel Iwan)
338. Guto Prys Ap Gwynfor (Llangadog)
339. Guto Rhys (Llanfairpwll)

340. Gwen Angharad Gruffudd (Arfon)
341. Gwen Baucage (Dolwyddelan)
342. Gwen Evans (Pentrecelyn)
343. Gwen Evans (Rhosllannerchrugog)
344. Gwen Màiri Sinclair
345. Gwenan Roberts (Uwchaled)
346. Gwenan Thomas (Mynytho)
347. Gwendoline Roberts (Gwalchmai)
348. Gwenfair Keithnebo Williams (Dwyfor)
349. Gwenllian Grigg (Talgarreg)
350. Gwenllian Hafren (Cwmtawe)
351. Gwenllian Jones (Sir y Fflint)
352. Gwenllian Leach (Caernarfon)
353. Gwennan Evans (Cynwyl Elfed)
354. Gwyn Jones (Llanddewibrefi)
355. Gwyn Owen Jones
356. Gwyn Vaughan Jones (Blaenau Ffestiniog)
357. Gwyneth Ffrancon Lewis (Dolgellau)
358. Gwyneth Jones (Bethesda)
359. Gwynfryn Jones (Llŷn)
360. Haf Llewelyn (Ardudwy)
361. Haf Roberts (Dwyfor)
362. Hannah Havard
363. Hannah Louise Sams (Penrhiwgoch)
364. Hannah Rowena Davies Franklin (Prengwyn)
365. Harold Flohr
366. Harri Williams (Y Groeslon)
367. Heather Lynne Jones (Llanberis)
368. Heather Tomos (Cilgerran)
369. Hedd Gwynfor (Llaningel)
370. Hedd Williams (Llangefni)
371. Hefin Harries (Llanfyrnach)
372. Hefin Robert (Cei Conna)
373. Heiddwen Tomos (Cwrtnewydd)
374. Heledd Griffiths (Llandudoch)
375. Helen Davies (Caerfyrddin)
376. Helen Jones (Rhiw)
377. Helen Lane (Llanelli)
378. Helen Meri Phillips (Clunderwen)
379. Helen Miles (Drefach Felindre)
380. Helen Perkins (Penmaenmawr)
381. Helen Rowlands (Bethesda)
382. Helen Thomas (Penfro)
383. Heulwen Brunelli (Brunelli)
384. Heulwen Huws (Waunfawr)
385. Heulwen Medi Rowlands (Llanuwchllyn)
386. Heulwen Williams (Porth Tywyn)
387. Heulyn Rees
388. Hilda Williams (Llŷn)
389. Huw Davies (Llangeler/Llandysul)
390. Huw Denman (Brechfa)
391. Huw Garmon (Llanfairpwll)
392. Huw Gerallt Evans (Dyffryn Conwy)
393. Huw Glyn Williams (Y Felinheli)
394. Huw Griffiths (Dyffryn Tywi)
395. Huw J Harries (Trewyddel)
396. Huw Jones (Rhosllannerchrugog)
397. Huw Roberts (Bryn-coch)
398. Huw Williams (Y Bala)
399. Hynek Daniel Janoušek
400. Hywel Ap John Griffiths (Rhydypandy)
401. Hywel Davies (Llanelli)
402. Hywel Ebbsworth (Ogwr)
403. Hywel Evans (Harlech)
404. Ian Evans (Môn)

405. Ian Hughes (Rhosllannerchrugog)
406. Ian Williams (Llanfairpwll)
407. Iestyn Ap Dafydd (Cwm Rhymni)
408. Iestyn Ap Rhobert (Llangadog)
409. Ieuan James (Dolgellau)
410. Ieuan Jones (Betws Ifan)
411. Ieuan Pritchard (Dwyfor)
412. Ieuan Roberts (Rhosllannerchrugog)
413. Ifan Prys (Llanuwchllyn)
414. Ifor Williams (Arfon)
415. Ilaria Zanier
416. Iola Emmanuel (Gwytherin)
417. Iolo Wyn James (Conwy)
418. Iona Davies (Môn)
419. Iona Griffith (Llŷn)
420. Iona Rhys
421. Iona Williams (Cwm Gwaun)
422. Ivy Price (Sir Gâr)
423. Iwan Hughes (Llanbedrog)
424. Iwan Hughes (Pentrefoelas)
425. Iwan Thomas (Dyffryn Aeron)
426. J Gwynfor Jones (Machynlleth)
427. Jackie Lewis-owen (Porthmadog)
428. Jacques-yves Mouton (Llydaw)
429. James Matthew Whittaker (Y Felinheli)
430. Jan Bennett (Môn)
431. Jane Roberts (Môn)
432. Jane Williams (Môn)
433. Janet Bowen (Brynaman)
434. Janet Evans (Llanelli)
435. Janet Mary Harris-Smith
436. Janet Owen (Brynaman)
437. Jay Cee (Casnewydd)
438. Jayne Morgan (Ystradgynlais)
439. Jeannie Evans (Môn)
440. Jen Dafis (Pont-Siân)
441. Jenni Wyn Hyatt (Maesteg)
442. Jim Honeybill (Ceredigion)
443. Joe Ap Paddy (Bangor)
444. Joella Price (Caerdydd)
445. John Cymro Thomas (Abergwaun)
446. John Glyn (Arfon)
447. John Jones (Sir Drefaldwyn)
448. John Les Tomos (Llanedwen)
449. John Love (Nefyn)
450. John Pierce Jones (Niwbwrch)
451. John Sam Jones (Bermo)
452. Joyce Povey (Llangybi)
453. Julian Jones (Bancffosfelen)
454. Julie Jones (Cwm-gors)
455. Kally Dafis (Môn)
456. Karen Jones (Rhuddlan)
457. Karen Owen (Dyffryn Nantlle)
458. Karen Williams (Aberporth)
459. Kate Rhys (Pontrhydfendigaid)
460. Kate Wheeler (Eifionydd)
461. Kay Thomas (Pontyberem)
462. Keith O'Brien (Trawsfynydd)
463. Keith Paddock
464. Keri Morgan (Gors-las)
465. Kevin Bohana
466. Kez Jones (Y Rhondda)
467. Kriss Davies (Llanybydder)
468. Laura Arman (Bethesda)
469. Laura Richards (Dyffryn Banwy)
470. Leanda Wynn (Dyffryn Aman)
471. Ler Morgan (Blaenau Ffestiniog)
472. Levi Siôn Evan Way (Sir Fynwy)
473. Lilian Edwards (Y Rhyl)
474. Linda Brown (Bethesda)
475. Linda Hughes (Sarn Mellteyrn)
476. Linda Williams (Cwmtawe)
477. Linus Band-Dijkstra (Iseldiroedd)
478. Lisa Davies (Sir y Fflint)
479. Liz Carter-Jones (Yr Wyddgrug)

480. Liz Thomas (Pontyberem)
481. Lois Roberts (Nelson)
482. Lois Shaw-Evans (Llŷn)
483. Lois Slaymaker-Jones
484. Lona Baum Lewis (Deiniolen)
485. Lona Patel (Rhoshirwaun)
486. Lonwen Roberts (Trefor)
487. Lora Angharad (Gwynedd)
488. Louie Roberts (Porthmadog)
489. Lowri Ann James (Y Bala)
490. Lowri Gwenllian
491. Lowri Mifsud (Llanelli)
492. Luned Parry Hawkins (Môn)
493. Lyn Jones (Caerdydd)
494. Lynda Thomas (Pencarreg)
495. Lynne Rees (Cwm Gwendraeth)
496. Lynwen Merrigan (Cwm Gwendraeth)
497. Llanast Brynli Bach (Dolgellau)
498. Lleu Bleddyn (Llanbrynmair)
499. Lleuwen Tangi
500. Llinos Angharad
501. Llinos Dafis (Bwstryd)
502. Llinos Eames Jones (Bontnewydd)
503. Llinos Edwards Goosey (Môn)
504. Llinos Haf Bates
505. Llinos Price (Aberteifi)
506. Llinos Phillips (Aberteifi)
507. Llinos Vincent (Dyffryn Aeron)
508. Llinos Williams (Nefyn)
509. Llio Glyn Griffiths (gogledd Meirionnydd)
510. Lliwen Angharad (Dinbych)
511. Lloyd Owen (Blaen-ffos)
512. Llunos Gordon (Sir Drefaldwyn)
513. Llŷr Williams (Treletert)
514. Llywela Jones (Llŷn)
515. Mag Davies (Harlech)
516. Maggie Parry-Jones (Preseli)
517. Mags Rees (Tregaron)
518. Mah Buga (Pantpastynog)
519. Mai Scott (Uwchmynydd)
520. Mair Fish (Llŷn)
521. Mair Hill
522. Mair Hughes (Trefenter)
523. Mair Ruscoe (Dyffryn Banw)
524. Máire McGoldrick
525. Maldwyn Pryse (Ceredigion)
526. Manon Emyr Gerallt (Llanrwst)
527. Manon Steffan Ros Omb (Rhiwlas)
528. Manon Wyn Roberts (Hiraethog)
529. Mar Arman (Bethesda)
530. Marc Jones
531. Marc Scaife (Cwm Gwendraeth)
532. Mared Ifan
533. Mared Lewis (Môn)
534. Margaret AmberThomas (Ystalyfera)
535. Margaret Bassett (Caernarfon)
536. Margaret Buckingham Jones
537. Margaret Eifiona Hewitt (Dolgellau)
538. Margaret Evans (Dyffryn Aman)
539. Margaret Griffiths (Tre-boeth)
540. Margaret Griffith-Williams (Llanrug)
541. Margaret Louisa Jones (Pontiets)
542. Margaret Morgan (Tyddewi)
543. Margaret White (Llanfechell)
544. Margaret Williams (Dyffryn Conwy)
545. Mari Gordon (Bethesda)
546. Mari Hughes (Aberystwyth)
547. Mari Llewelyn (Llŷn)
548. Mari Stephens (Llanerfyl)
549. Marian Beech Hughes (Llannefydd)
550. Marian Brosschot (Botwnnog)

551. Marian Evans (Penrhyndeudraeth)
552. Marilyn Ap Steffan (Ceredigion)
553. Mark Vaughan (Llanelli)
554. Marred Glynn Jones (Môn)
555. Martin Bevan (Cwmtawe)
556. Martin Coleman (dysgwr, Lloegr)
557. Martin Riley (Dyffryn Nantlle)
558. Mary Eds (Bethesda)
559. Mary Evans (Sir Gar)
560. Mary George
561. Mary Green
562. Mary Jones (Dolgellau)
563. Mary Moses Nichols (Clydach)
564. Mary Sinclair (Llanllwni)
565. Mati Jones (Arfon)
566. Mattie Evans (Aberdaron)
567. Med Parri (Llŷn)
568. Medwyn ap Robert
569. Meg Elis
570. Megan Cynan Corcoran (Beddgelert)
571. Megan Owen (Llithfaen)
572. Megan Owen (Llŷn)
573. Meic Pierce Owen (Môn)
574. Meifis Howell Griffiths (Llangeler)
575. Meinir Ann Thomas (Rhydargaeau)
576. Meinir Ffransis (Sir Gâr)
577. Meinir Griffiths-Davies (Llandysul)
578. Meinir Gwilym (Môn)
579. Meinir Huws (Y Bala)
580. Meinir Llwyd Roberts (Llanelwy)
581. Meinir Morgan (Sanclêr)
582. Meira Auyb (Llanberis)
583. Meira Lloyd Owen (Llangernyw)
584. Meirion MacIntyre Huws (Arfon)
585. Meiriona Williams (Dyffryn Conwy)
586. Mel Williams (Cwm Prysor)
587. Melanie Davies (Crymych)
588. Melanie Hayward
589. Melda Grantham (Capel Dewi)
590. Meleri Brown
591. Melinda Williams
592. Melody Preston (Blaenau Ffestiniog)
593. Mena Price (Penllyn)
594. Menna Davies (Llansadwrn, Sir Gar)
595. Menna Diamond (Blaenau Ffestiniog)
596. Menna Edwards (Dolgellau)
597. Menna George (Pen-parc)
598. Menna Lloyd Williams (Llanfaethlu)
599. Menna Withington (Sir y Fflint)
600. Meredydd Richards (Caerfyrddin)
601. Mererid Williams (gogledd Ceredigion)
602. Meri Griffiths (Tregaron)
603. Meryl Darkins (Tre-boeth)
604. Meryl George (Llambed)
605. Mici Plwm (Blaenau Ffestiniog)
606. Mickey Beechey (Llangrannog)
607. Michael Dryhurst Roberts (Aberffraw)
608. Michael Edwards (Blaenau'r Cymoedd)
609. Michael Edwin Hughes (Esgairgeiliog)
610. Michael Harvey (Caerdydd)
611. Mike Downey (Caernarfon)
612. Minah Drew (de Sir Ddinbych)

613. Miranda Morton (Caerdydd)
614. Miri Collard (Y Trallwng)
615. Moira Lewis (Wdig)
616. Mona Morris (Môn)
617. Moniquín Tywi (Patagonia)
618. Morfudd Nia Jones (Pencader)
619. Morfudd Thomas (Croesor)
620. Morfudd Wyn Roberts (Bethesda)
621. Morlais Davies (Seland Newydd)
622. Morwen Jones (Mynytho)
623. Morwen Pritchard (Llanfrothen)
624. Morwen Rowlands (Maenclochog)
625. Morwenna Jones (Môn)
626. Mwynwen James (Capel Iwan)
627. Myfanwy Alexander (Dyffryn Banw)
628. Myfyr Madoc-Jones
629. Nain Abergele
630. Nan Jones (Rhuthun)
631. Nancy Eirena Jones
632. Nancy Tomos (Llŷn)
633. Natalie Morgan (Maenclochog)
634. Neil Mac Parthaláin
635. Neil Roberts (Pwllheli)
636. Nely Ennys van Seventer (Iseldiroedd & Llydaw)
637. Nerys O'Beirn (Blaenau Ffestiniog)
638. Nerys Roberts (Eryri)
639. Nerys Rhys
640. Nêst Williams (Trawsfynydd)
641. Nia Angharad Morgan Mears (Gwaun Cae Gurwen)
642. Nia Barrar (Brynaman)
643. Nia Edwards (Aberllefenni)
644. Nia Einir Williams (Waunfawr, Arfon)
645. Nia Eleri Besley (Cwm Tawe)
646. Nia Evans (Bae Colwyn)
647. Nia Evans (Ffostrasol)
648. Nia Keinor Jenkins (Abertawe)
649. Nia Llwyd Lewis (Môn)
650. Nia Llywelyn (Felinfach)
651. Nia Mererid Humphreys
652. Nia Mererid Jones (Penllyn)
653. Nia Nock (Llansawel)
654. Nia Teleri Lewis (Dyffryn Ardudwy)
655. Nia Williams (Bangor/Môn)
656. Nia Wyn Jones (Dyffryn Conwy)
657. Nicola Gruffydd (Mon)
658. Nicola Williams (Foelgastell)
659. Nicholas Daniels (Llangennech)
660. Noah Jones
661. Non Angharad (Rhyd-y-main)
662. Non Gwenhwyfar Tudur (Lledrod)
663. Non Harries (Penfro)
664. Nora Jones (Blaenau Ffestiniog)
665. OJ Hughes (Berffro)
666. Olwen Evans (Gwalchmai)
667. Olwen Ifona Thomas (Esgairgeiliog)
668. Olwen Jones (Dinas Mawddwy)
669. Olwen Jones (Talsarnau)
670. Osian Hedd (Boncath)
671. Osian Jones (Arfon)
672. Oswyn Williams (Gwalchmai)
673. Owain Llyr (Llandysul)
674. Owen Morgan
675. Owen-Huw OH Evans (Môn)
676. Patricia Davies (Rhydaman)
677. Paul Birt
678. Paul Sambrook (Eglwyswrw)
679. Pavel Iosad (Rwsia)
680. Peter Bradley (Caerdydd)
681. Peter Evans (Llandysul)
682. Pol Wong (Wrecsam)

683. Poppy Jones (Abertawe)
684. Phil Davies (Llandysul)
685. Phil Lewis (Llandybïe)
686. Phylip Brake (Morgannwg)
687. Rebecca Harries (Llandybïe/ Rhydaman)
688. Richard Derwyn Jones Dryw (Pwllheli)
689. Richard Gwyn Neale
690. Richard Howe
691. Richard Morse
692. Richard Owen (Llanfechell)
693. Richard Warren Smith (Rhydaman)
694. Rita Llwyd Rita (Tal-y-bont)
695. Rob Hughes
696. Rob Nicholls (Pen-clawdd)
697. Rob Sciwen (Sgiwen)
698. Robat ap Tomos
699. Robert Boyns (Cydweli)
700. Robert Joseph Jones
701. Robert Llewellyn Tyler
702. Robert Morgan (Abertawe)
703. Robert Rhys (Llanddarog)
704. Robert Williams (Bangor)
705. Rocet Arwel Jones (Môn)
706. Roger Hayward (Corwen)
707. Roger Matthews (Port Talbot)
708. Romeñ Ar Bloaz (Llydaw)
709. Ronan L'Hourre (Llydaw)
710. Ruth Williams (Llanfair Talhaearn)
711. Rwth Williams
712. Rheinallt Williams (Merthyr)
713. Rhian A Seimon Glyn (Llŷn)
714. Rhian Dafarn (Aberdaron)
715. Rhian Evans Cooper (Pencader)
716. Rhian Hughes (Casllwchwr)
717. Rhian Hughes (Eifionydd)
718. Rhian Jones (Rhuthun)
719. Rhian Lewis (Aberystwyth)
720. Rhian Lloyd James (Aberdâr)
721. Rhian Mair (Cilycwm)
722. Rhian Price
723. Rhian Widgery (Caerffili)
724. Rhian Williams (Treffynnon)
725. Rhiannon Charlton (Môn)
726. Rhiannon Horn
727. Rhiannon Ifan (Gellioedd)
728. Rhiannon James (Llŷn)
729. Rhiannon Roberts (Penrhyndeudraeth)
730. Rhiannon Thomas (Môn)
731. Rhidian Huw Evans (Aberteifi)
732. Rhisiart Dafys (Penygroes, Sir Gâr)
733. Rhisiart Hincks
734. Rhisiart Lewsyn
735. Rhodri Hughes (Llandudno)
736. Rhodri James
737. Rhodri Jones (Llanuwchllyn)
738. Rhydian Hughes (Pentrefoelas)
739. Rhŷn Williams (Llŷn)
740. Rhys Bevan (Blaenau'r Cymoedd)
741. Rhys Llewelyn (Llŷn)
742. Rhys Llywelyn (Llanllwni)
743. Rhys Morgan Llwyd
744. Rhys Roberts (Bethesda/ Llangefni)
745. Sali Wyn Islwyn (Cwm Tawe)
746. Sally Rowe (Casnewydd)
747. Sandra Morris Jones (Bronant)
748. Sara Bowen Oliver (Caernarfon)
749. Sara Elin Roberts (Môn)
750. Sara John (Castell-nedd
751. Sara Thomas (Sir y Fflint)
752. Sarah Canning (Cwm Gwendraeth)
753. Sarah Carden (Yr Wyddgrug)
754. Sarah Down (Llangeitho)
755. Sarah Ebenezer Baker (Glyn

Ebwy)
756. Sarah Fidal (Lansilin)
757. Sarah Hopkin (Brynaman)
758. Sarah Jackson (Pontyberem)
759. Scott McMurray (Abertawe)
760. Selwyn Thomas (Llŷn)
761. Sera Cracroft (Rhyd-y-foel, Conwy)
762. Shân Ellis (Caernarfon)
763. Sharon Jones (Gwalchmai)
764. Sharon Larkin (Gwent)
765. Sharon Morgan (Cwmaman)
766. Sian Bebb (Tregaron)
767. Sian Beidas
768. Sian Elen Tomos (Deiniolen)
769. Siân Eleri Roberts (Trefor)
770. Sian Griffith (Bethesda)
771. Siân Hughes (Môn)
772. Sian Jones (Gwaenysgor)
773. Sian Jones (Llanelli)
774. Siân M Davies (Glynarthen)
775. Sian Mair Williams
776. Sian Max – Beynon (Aberteifi)
777. Siân Northey (Trawsfynydd)
778. Siân Olwen Jones
779. Sian Rees
780. Sian Teleri Jones Wynne (Trawsfynydd)
781. Siân Thomas (Cwmgors)
782. Sian Wheldon (Pwllheli)
783. Sian-Elin Jones (Hendygwyn)
784. Siani Bowi (Capel Iwan)
785. Siôn Aled Owen
786. Siôn Amlyn (Dryslwyn)
787. Siôn Jobbins
788. Siôn Meredith
789. Siôn Woods (Rhydaman)
790. Sioned Elin (Gwyddgrug)
791. Sioned Evans (Pontarddulais)
792. Sioned Haf Thomas (Maenclochog)
793. Sioned Hedd (Llansannan)
794. Sioned Mai Fidler (Y Felinheli)
795. Sioned Martha Davies (Gwyddgrug)
796. Sioned McCue (Caerfyrddin)
797. Sioned Stephens (Crosshands)
798. Sioned Thomas (Sir Benfro)
799. Sioned Webb (Y Bala)
800. Sioned Williams (Llangristiolus)
801. Siwan Ménez (Sir Gâr)
802. Siwsan Miller (Llanbedrog)
803. Sophie Ann (Porthmadog)
804. Spencer Gavin Smith (Sir Dinbych)
805. Stan Massarelli (Edern)
806. Steffan John (Tymbl)
807. Steffan Rhys (Cefn-y-brain)
808. Stephen Owen Rŵl (Sir y Fflint)
809. Steve Eaves
810. Steve Hewitt (Ceredigion & y byd)
811. Sue Rowlands (Y Bala)
812. Sulwen Edwards (Penygroes, Arfon)
813. Sydney Davies
814. Taid Toss (Rhuddlan)
815. Talat Chaudhri
816. Tecwyn Evans (Penrhyndeudraeth)
817. Terwyn Tomos (Llandudoch)
818. Teulu Penllyn
819. Tim Pearce
820. Tim Thomas
821. Tom Halpin
822. Tom Lew (Meirionnydd)
823. Tom Parsons (Bangor)
824. Towyn Jones (Castell Newydd Emlyn)
825. Trefor Williams (Dwyfor)

826. Trystan Lewis
827. Twm Elias (Clynnog)
828. Twm Jones (Bethesda)
829. Twm Jones (Y Bala)
830. Thelma Jones (Synod Inn)
831. Thomas Moseley (Llanbadarn Fawr)
832. Thomas Williams (Bangor)
833. Vivian Parry Williams (Penmachno)
834. Vivienne Jenkins (Pen-y-bont ar Ogwr)
835. Wendi Jones (Llŷn)
836. Wendy Jones (Pwllheli)
837. Wendy Parry (Bethesda)
838. Wendy Thomas (Sarn Mellteyrn)
839. Wendy Thomas (Sarn Mellteyrn)
840. Wil Bing Owen (Abererch)
841. Will Hughes (Môn)
842. Williams Trailers (Gwalchmai)
843. Wmffre Davies (Pont-Siân)
844. Yan James (Cwmtawe)
845. Yasmin Turner (Harlech)
846. Yvonne Balakrishnan (Môn)
847. Yvonne Davies (Cefnybrain)
848. Ywain Myfyr (Dolgellau)
849. Zara Abas (Bangor)
850. Zena Roberts Tomos (Sir y Fflint